KT-487-409

Le
Livre
de
Poche
Jeunesse

Quand Hitler s'empara du lapin rose

Judith Kerr

Judith Kerr est née à Berlin en 1923. Son père est un influent critique littéraire et dramaturge opposé au nazisme. Quand Hitler arrive au pouvoir – Judith a 9 ans – la famille Kerr fuit l'Allemagne, transite par la Suisse, la France, avant de s'installer à Londres en 1936. Malgré le danger, elle garde de cet exil un souvenir d'aventure. Pendant le Blitz, elle travaille à la Croix rouge, et sort diplômée de la Central School of Arts and Crafts en 1945. Elle épouse l'écrivain Nigel Kneale et travaille comme scénariste à la BBC jusqu'à la naissance de leurs enfants. Son œuvre exceptionnelle créé toujours l'engouement au Royaume-Uni et lui vaut d'être sacrée en 2012 Officière de l'Ordre de l'Empire Britannique pour ses services rendus à la littérature jeunesse et à l'éducation sur l'Holocauste.
Judith Kerr est morte en mai 2019.

JUDITH KERR

Quand Hitler s'empara du lapin rose

Traduit de l'anglais
par Boris Moissard

Titre original :
WHEN HITLER STOLE PINK RABBIT
(Première publication : HarperCollins Publishers, Londres, 1971)

Pour mes parents,
Julia et Alfred Kerr

1

Anna rentrait à pied de l'école avec Elsbeth, une fille de sa classe. La neige était tombée en abondance sur Berlin, cet hiver-là. Les balayeurs l'avaient poussée au bord des trottoirs et elle y avait séjourné durant des semaines en tristes tas virant au gris sale. On était en février, elle commençait à fondre. Anna et Elsbeth devaient sauter par-dessus les flaques pour ne pas mouiller leurs bottines à lacets.

Toutes deux portaient de gros manteaux et des bonnets de laine rabattus sur leurs oreilles, et Anna avait une écharpe autour du cou. Elle était petite pour ses neuf ans, et les extrémités de l'écharpe lui pendaient jusqu'aux genoux. Le reste lui masquait le visage. Seuls deux yeux verts et une touffe de cheveux bruns dépassaient.

Elle se dépêchait, voulant passer à la papeterie pour acheter des crayons avant la fermeture de l'heure du déjeuner, et elle était à bout de souffle. Elle ne fut pas mécontente quand Elsbeth s'arrêta pour regarder une grande affiche rouge.

– Tiens, encore une photo de ce type ! Ma petite sœur en a vu une hier et elle a cru que c'était Charlie Chaplin...

Anna contemplait le visage aux yeux fixes et à l'expression menaçante.

– Moi, à part la moustache, je ne vois pas la ressemblance.

Elles lurent le nom sous le portrait : « Adolf Hitler ».

– Il paraît qu'il veut que tout le monde vote pour lui, et qu'après les élections il fera arrêter tous les Juifs, dit Elsbeth. Tu crois qu'il fera arrêter Rachel Lowenstein ?

– Personne ne peut faire arrêter Rachel Lowenstein ! dit Anna. Elle est chef de classe. Mais moi, on m'arrêtera peut-être. Je suis juive aussi.

– Non, tu ne l'es pas !

– Si, je le suis. Mon père nous en a parlé justement la semaine dernière, et il a même dit que, quoi qu'il arrive, mon frère et moi ne devions pas l'oublier...

– Pourtant vous n'allez pas à une église spéciale le dimanche comme Rachel Lowenstein ?

– C'est parce que nous ne pratiquons pas. Nous n'allons à aucune église.

– Ce serait bien, si mon père n'était pas pratiquant, soupira Elsbeth. Nous, on doit y aller chaque dimanche ! Et rester assis au moins une heure !

Elle regardait Anna avec curiosité.

– On m'avait dit que les Juifs ont le nez crochu. Toi, ton nez, je le trouve normal. Et ton frère, il a le nez crochu ?

– Non. La seule personne chez nous qui ait le nez crochu, c'est Bertha, la bonne. Et c'est parce qu'elle l'a cassé en tombant du tramway.

Toutes ces informations semblèrent contrarier Elsbeth.

– Eh bien alors, dit-elle, si vous ressemblez à tout le monde et que vous n'allez pas à une église spéciale, qu'est-ce qui te dit que vous êtes juifs ? Comment pouvez-vous en être sûrs ?

Il y eut un silence. Anna cherchait quoi répondre.

– Je suppose, dit-elle enfin, je suppose que c'est parce que mon père et ma mère sont juifs, et que peut-être leurs parents l'étaient aussi... Mais je n'y ai jamais tellement réfléchi, tu vois. Papa n'a commencé à en parler que la semaine dernière...

– Moi, je trouve tout ça idiot, trancha Elsbeth. Ça ne rime à rien. Adolf Hitler, les Juifs et le reste, je m'en fiche !...

Elle se mit à courir et Anna la suivit.

À la papeterie, le marchand était en grande conversation avec un client, ou plutôt une cliente, et Anna eut un accès de panique en reconnaissant Fräulein[1] Lambeck, leur voisine.

---

1. « Mademoiselle », en allemand.

Fräulein Lambeck arborait une tête navrée et répétait : « Quelle époque ! Quelle époque ! » en faisant cliqueter ses boucles d'oreilles.

Le papetier opinait du chef.

– 1931 n'a pas été une bonne année, 1932 a été pire, mais écoutez bien ce que je vais vous dire : 1933 sera une catastrophe !

Il aperçut les deux filles.

– Qu'y a-t-il pour votre service, mes mignonnes ?

Anna s'apprêtait à passer sa commande de crayons, quand Fräulein Lambeck la reconnut.

– Mais c'est la jeune Anna ! s'écria-t-elle. Comment vas-tu, trésor ? Et comment va ton cher papa ? Un homme si remarquable ! Je lis chacune des lignes, chacun des mots qu'il écrit. J'achète tous ses livres et je l'écoute à la radio. Mais il n'y a rien eu de lui dans le journal cette semaine. J'espère qu'il va bien ! Peut-être est-il allé donner des conférences quelque part ? Qu'il revienne ! Nous avons trop besoin de quelqu'un comme lui en ce moment ! Ah ! quel affreux moment nous vivons !...

Anna attendit la fin de la tirade pour annoncer :

– Mon père a la grippe.

Cette nouvelle déclencha une seconde tirade en forme de jérémiade. On aurait cru que le propre père de Fräulein Lambeck était à l'article de la mort. Elle agitait la tête dans un vacarme de boucles d'oreilles, suggérait des remèdes, donnait des noms de médecins et ne mit fin à ses lamentations qu'après qu'Anna eut solennellement juré de transmettre au malade « les meilleurs vœux de prompt rétablissement de Fräulein Lambeck ».

Se ravisant, sur le pas de la porte, elle rectifia :

– Ne dis pas : « Les meilleurs vœux de Fräulein Lambeck ». Dis seulement : « D'une admiratrice »...

Sur quoi, elle disparut.

Ses crayons achetés, Anna resta encore un moment à bavarder avec Elsbeth devant la papeterie, dans le vent et le froid. C'est ici que leurs chemins se séparaient. Mais Elsbeth avait quelque chose à demander à Anna. La question la travaillait depuis un certain temps déjà, et il lui semblait que c'était le moment de la poser.

– Dis, Anna. Est-ce que c'est agréable, d'avoir un père connu ?

– Pas quand on rencontre Fräulein Lambeck, répondit Anna en se mettant en marche vers chez elle.

Elsbeth lui emboîta le pas machinalement.

– Mais en dehors de Fräulein Lambeck ?

– C'est plutôt agréable. L'avantage, c'est que papa travaille à la maison et que nous le voyons souvent. Et puis nous avons des billets gratuits pour le théâtre et pour le cinéma. Une fois même, nous avons été interviewés par un journal et on nous a demandé quels livres nous aimions, et mon frère a répondu Zane Grey[1]. Alors le lendemain, quelqu'un lui a envoyé toute la série en cadeau !...

– J'aimerais bien que mon père soit célèbre, dit Elsbeth. Malheureusement, ça m'étonnerait qu'il le devienne, car il travaille à la poste. Ce n'est pas le genre de boulot qui rend les gens célèbres.

– Si ton père ne devient pas célèbre, peut-être au moins que toi tu le deviendras. L'ennui d'avoir un père célèbre, c'est qu'il y a peu de chance qu'on le devienne soi-même.

– Et pourquoi pas ?

– Je n'en sais rien. C'est comme ça. On n'entend jamais parler de deux personnes célèbres dans la même famille. Et quand j'y pense, ça me décourage...

Elles étaient arrivées devant le portail blanc de chez Anna, et Elsbeth réfléchissait activement au moyen qu'elle pourrait employer pour devenir célèbre, quand Heimpi, qui les avait vues arriver, ouvrit la porte d'entrée.

– Mon Dieu ! Je vais être en retard pour le déjeuner, s'exclama Elsbeth avant de déguerpir.

Anna entra, passant devant Heimpi qui marmonnait :

---

1. Zane Grey (1872-1939) est l'un des plus célèbres auteurs américains de romans « western ». Nombre de ses livres furent adaptés pour le cinéma.

– Toi et cette Elsbeth, tout juste bonnes à bavarder comme des pies !

*

Le vrai nom de Heimpi était Fräulein Heimpel et c'était elle qui s'était occupée d'Anna et de son frère Max quand ils étaient petits. Maintenant qu'ils avaient grandi, elle vaquait aux tâches ménagères pendant qu'ils étaient à l'école, mais un de ses grands plaisirs restait de les houspiller à leur retour.

– Enlève-moi ce truc, dit-elle en tirant sur l'écharpe. Avec ça tu ressembles à un colis mal ficelé !...

Tandis que Heimpi lui ôtait son manteau, Anna put entendre qu'on jouait du piano au salon. Mutti[1] était à la maison.

– Tes pieds, tu les as bien essuyés ? reprit Heimpi. Bon, va vite te laver les mains, et à table ! Le déjeuner est prêt.

Anna grimpa les quelques marches recouvertes d'un épais tapis. Les rayons du soleil pénétraient par la fenêtre. Dehors, dans le jardin, subsistaient de larges bandes de neige. Une odeur de poulet rôti arrivait de la cuisine. Les retours de l'école avaient aussi du bon !

---

1. « Maman », en allemand.

Comme Anna passait devant la salle de bains, elle entendit du remue-ménage à l'intérieur. Elle ouvrit la porte et se trouva nez à nez avec son frère Max, la figure cramoisie sous sa tignasse blonde et les mains derrière le dos, cachant visiblement quelque chose.

– Qu'est-ce qui se passe ? demanda-t-elle avant même d'apercevoir Gunther, le copain de Max, très embarrassé lui aussi.

– Ah, c'est toi ! dit Max.

Gunther, soulagé, se mit à rire.

– On a cru que c'était un adulte.

– Qu'est-ce que vous cachez ?

– Un insigne. Il y a eu une grande bagarre à l'école ce matin, nazis contre sozis...

– Qu'est-ce que c'est que ces machins-là ?

– Les nazis et les sozis ? À ton âge, tu devrais le savoir ! fit Max du haut de ses douze ans. Les nazis sont les gens qui vont voter pour Hitler aux élections. Nous, les sozis, nous allons voter contre !

– Vous êtes trop jeunes tous les deux, vous n'avez pas le droit de voter.

– Nos parents, si tu préfères, dit Max avec humeur. Mais ça revient au même.

– Toujours est-il qu'on leur a bien cassé la figure, dit Gunther. Tu les aurais vus courir, les nazis... Max et moi, on en a coincé un et on lui a pris son insigne. Mais je ne sais pas ce que ma mère va dire, à cause de mon pantalon…

Il baissa les yeux piteusement sur une déchirure dans le tissu déjà élimé. Le père de Gunther était au chômage, et il ne devait pas y avoir beaucoup d'argent chez eux pour remplacer les pantalons déchirés.

– Ne t'en fais pas, dit Anna. Heimpi va arranger ça. Mais montrez-moi cet insigne.

C'était une plaque d'émail rouge frappée d'une croix gammée noire.

– C'est une svastika, expliqua Gunther. Tous les nazis en portent une.

– Que vas-tu en faire ?

Max et Gunther se consultèrent du regard.

– Tu la veux ? demanda Max.

Gunther secoua la tête.

– Non, ma mère m'a interdit de me mêler de ces histoires de nazis. Elle a peur que ça tourne mal et qu'on me retrouve la tête cassée en deux, comme elle dit.

– C'est vrai qu'ils ne jouent pas à la loyale, approuva Max. Ils se servent de bâtons et de pierres, tout ça…

Il soupesa l'insigne avec une moue de dégoût.

– Moi non plus, je n'en veux pas.

– Alors jette-la dans les toilettes, dit Gunther.

C'est ce qu'ils firent. La première fois qu'ils

actionnèrent la chasse d'eau, la plaque ne fut pas entraînée. Mais le second essai fut concluant, et l'insigne disparut. La cloche du déjeuner sonnait.

Le piano continuait à jouer alors qu'ils descendaient l'escalier, et il ne s'arrêta que lorsqu'ils furent à table, Heimpi remplissant leurs assiettes. La porte de la salle à manger s'ouvrit alors et leur mère apparut.

– Bonjour, les enfants ! Bonjour, Gunther ! lança-t-elle en entrant. Alors l'école ? Racontez-moi...

Ils se mirent à parler tous en même temps dans un concert d'exclamations et de rires. La mère d'Anna connaissait le nom de chaque professeur et se souvenait de tout ce qu'il lui avait été dit à propos de chacun. Ainsi, quand Max et Gunther lui rapportèrent la colère qu'avait piquée celui de géographie, elle s'écria :

– Pas étonnant, après le chahut que vous lui avez fait subir la semaine dernière !

Et quand Anna se vanta que sa rédaction avait fait l'objet d'une lecture à haute voix pour toute la classe, elle applaudit.

– Fantastique ! Si je ne m'abuse, Fräulein Schmidt n'en lit comme ça que très rarement, n'est-ce pas ?

Tout en écoutant ce que l'un ou l'autre avait à dire, elle ne lâchait pas l'orateur des yeux, l'observant intensément jusqu'au bout de son récit. Elle paraissait toujours tout faire plus intensément que tout le monde et le bleu de ses yeux était lui-même du bleu le plus bleu qu'Anna eût jamais vu.

Ils attaquaient le dessert, qui se trouvait être un strudel aux pommes, quand Bertha, la bonne, entra pour dire qu'on demandait « Monsieur » au téléphone : fallait-il le déranger ?

– Ce n'est pas une heure pour téléphoner ! s'indigna Mutti – et elle se leva en repoussant si violemment sa chaise que Heimpi dut la rattraper pour l'empêcher de basculer. Enfin ! ma part de strudel aux pommes trouvera bien un amateur parmi vous...

Elle effectua une sortie fracassante, se hâtant à grands pas sonores en direction du téléphone, puis se hâtant doublement, quelques instants plus tard, dans l'escalier qui menait à la chambre de son mari. Un grand silence s'était abattu sur la salle à manger. Anna le rompit pour demander :

– Comment va papa, aujourd'hui ?

– Il se sent mieux, dit Heimpi. Sa température a baissé.

Anna avala son dessert goulûment et les deux garçons se resservirent trois fois. Leur mère ne réapparaissait pas. C'était étrange, compte tenu de son goût légendaire pour le strudel aux pommes.

Bertha vint débarrasser la table et Heimpi

emmena les garçons voir ce qu'elle pouvait faire pour le pantalon de Gunther.

– Pas la peine de le raccommoder, décida-t-elle après expertise. Ça se redéchirerait au moindre geste. Mais viens, j'en ai un qui est trop petit pour Max et qui t'ira comme un gant...

Anna était restée seule dans la salle à manger et méditait. Elle aida Bertha à passer les assiettes à l'office, puis elle ramassa les miettes de la nappe à l'aide d'une petite pelle et d'une balayette. Tandis qu'elles pliaient la nappe, le souvenir lui revint du message de Fräulein Lambeck. Lâchant la nappe, elle courut à la chambre paternelle, d'où parvenait la rumeur d'une discussion.

– Papa, dit-elle en ouvrant la porte, j'ai rencontré Fräulein Lambeck et...

– Pas maintenant, je t'en prie, pas maintenant ! l'interrompit sa mère. Ton père et moi avons à parler !

Mutti se tenait assise au bord du lit, face à Vati[1], dont le buste relevé s'appuyait sur des oreillers et dont le visage était encore très pâle. Tous deux avaient l'air contrariés. Anna revint à la charge.

– Mais, papa, elle m'a dit de te dire...

– Pour l'amour du ciel ! s'écria Mutti avec un

---

1. « Papa », en allemand.

mouvement de colère, tais-toi et fiche le camp ! Ce n'est pas le moment !

– Tu reviendras un peu plus tard, ajouta Vati avec plus de douceur.

Anna battit en retraite et referma la porte, dépitée et amère. Le message de Fräulein Lambeck appartenait à cette catégorie de messages pouvant attendre, soit ; mais elle se sentait rejetée.

Les chambres des enfants étaient vides et on entendait des cris dans le jardin. Max et Gunther devaient être en train d'y jouer ; mais elle n'avait pas envie de les rejoindre. Son cartable pendait, accroché au dossier de sa chaise. Elle en tira ses crayons neufs et les sortit de la boîte. Il y en avait un joli rose, et un assez joli orange, mais les bleus étaient les mieux : trois différentes nuances de bleu, dont une tirant sur le mauve...

Tout à coup, Anna eut une idée.

Depuis quelque temps elle écrivait des poèmes qu'elle illustrait ensuite, et dernièrement quelques-unes de ses productions lui avaient valu des compliments, aussi bien à l'école qu'ici, à la maison. L'un de ces poèmes traitait d'un incendie, un autre d'un tremblement de terre, un troisième mettait en scène un homme mourant dans d'atroces souffrances à cause d'une malédiction proférée par un vagabond. Pourquoi ne pas tenter quelque chose sur le thème d'un naufrage ? Pas mal de mots rimaient avec « tempête », et il y aurait toujours « algues » pour rimer avec « vagues », ou à peu près. Et puis, quel bon prétexte pour étrenner les crayons bleus ! Elle prit une feuille et se mit au travail.

Elle s'absorba si bien dans son poème qu'elle ne remarqua pas que la nuit tombait, encore précoce à cette époque de l'année, et que l'obscurité avait envahi sa chambre. Elle sursauta quand Heimpi fit son entrée et alluma la lumière.

– J'ai préparé des gâteaux. Viens-tu m'aider à faire le glaçage ?

– Attends, je vais juste montrer ça à papa, dit Anna en couvrant le dernier centimètre carré de mer bleue.

Heimpi hocha la tête.

Cette fois, Anna frappa à la porte de son père et attendit qu'il dise d'entrer. Il régnait dans la chambre un climat étrange. Seule la lampe de chevet était allumée, sous laquelle le malade et ses oreillers formaient comme un îlot de lumière parmi les ombres. On distinguait à peine la table de travail, avec la machine à écrire au milieu de montagnes de papiers dont la moitié, comme d'habitude, s'était écroulée sur le tapis. Le journaliste écrivait souvent la nuit, et pour ne pas troubler le sommeil de sa femme par des allées et venues, il avait transporté son lit dans son bureau.

Pour l'heure, il n'avait pas à proprement parler la

physionomie de quelqu'un qui « se sent mieux ». Il se tenait assis, immobile, le regard fixe, l'air sévère, les joues plus creuses que jamais. Quand il vit Anna, il sourit pourtant. Elle lui tendit son poème et il le lut, deux fois de suite, et fit beaucoup de compliments sur le texte comme sur l'illustration. Après quoi, Anna aborda le sujet de Fräulein Lambeck, ce qui le dérida. Peu à peu, à force de plaisanter, il redevint lui-même et Anna en profita pour demander :

– Mon poème, est-ce que tu l'aimes *vraiment* ?

Il répondit que oui.

– Tu ne penses pas que j'aurais dû le faire plus gai ?

– Ma foi non, dit-il. Un naufrage n'est pas une partie de plaisir.

– Pourtant, mon professeur, Fräulein Schmidt, me conseille d'écrire sur des sujets gais, comme le printemps et les fleurs...

– Tu as envie d'écrire sur le printemps et les fleurs ?

– Non, reconnut Anna. Pour l'instant, la seule chose qui m'inspire, c'est les tragédies et toutes les catastrophes naturelles.

Le père eut un léger sourire en coin. Il songeait que les préoccupations de sa fille étaient dans l'air du temps.

Anna restait inquiète.

– Tu crois que les tragédies et les catastrophes sont un sujet valable pour des poèmes ?

Il reprit son sérieux.

– J'en suis sûr, affirma-t-il. Si ton envie te pousse à écrire sur les catastrophes, tu dois la suivre. Quand on écrit, rien ne sert d'essayer de faire plaisir aux autres. Le seul moyen d'écrire quelque chose de bon est de tâcher de se faire plaisir à soi-même.

Encouragée, Anna décida de poser à son père la question de savoir si, d'après lui, elle avait une chance de devenir célèbre, bien qu'il le fût lui-même. Mais le téléphone se mit à sonner, les faisant sursauter tous deux. L'appareil était à côté du lit. Vati décrocha le récepteur et son visage se rembrunit. Anna remarqua que sa voix même avait repris une intonation grave.

– Oui, oui... disait-il – et il s'ensuivit un bref dialogue dans lequel il était question de Prague et d'on ne savait quoi de moindre importance, semblait-il.

– Anna, lui dit son père en raccrochant, sauve-toi maintenant.

Il tendit les bras comme pour lui donner un gros baiser, mais interrompit son geste.

– Ce serait bête de te passer ma grippe.

Anna rejoignit Heimpi pour l'opération de glaçage des gâteaux – après quoi, Max, Gunther et elle les mangèrent. Ils n'en laissèrent que trois, que Heimpi enveloppa pour que Gunther les emportât chez lui. Elle y ajouta quelques vêtements que Max ne pouvait plus mettre. Le tout constituait pour Gunther un petit bagage des plus satisfaisants, au moment de partir. Le restant de l'après-midi se passa pour Anna et Max à jouer à des jeux de société reçus à Noël et dont ils n'avaient pas encore épuisé les joies. Cela allait du damier à l'échiquier en passant par une boîte de dominos et un mikado. Il y avait aussi des cartes, six jeux complets, chacun dans un coffret joliment ouvragé. Quand on en avait assez d'un jeu, on passait à un autre. Heimpi s'assit à côté d'eux dans la chambre, tantôt participant, tantôt reprisant des chaussettes, et l'heure d'aller au lit arriva, bien trop tôt à leur goût.

*

Le lendemain matin, avant son départ pour l'école, Anna courut à la chambre de son père pour l'embrasser. Elle trouva la pièce vide. Le lit était fait et la table rangée. Vati était parti.

2

La première pensée d'Anna fut si terrible qu'elle en perdit le souffle : l'état de son père avait dû subitement s'aggraver, on l'avait emmené à l'hôpital en pleine nuit et peut-être même qu'il...

Elle s'enfuit les larmes aux yeux, mais fut rattrapée au vol par Heimpi.

– Allons, du calme, commanda la gouvernante. Tout va bien. Ton père est parti en voyage.

– En voyage ? fit Anna, incrédule. Mais il est malade... Il a de la fièvre !

– Il est parti quand même, dit Heimpi fermement. Ta mère allait tout t'expliquer à ton retour de l'école, mais maintenant je suppose que tu vas aller l'entendre tout de suite et que tu n'es pas près de rejoindre cette pauvre Fräulein Schmidt !

Max apparut sur le palier, la mine ensoleillée par l'espoir.

– Qu'est-ce qui se passe ? Il n'y a pas école ?

Mutti se montra à son tour, en robe de chambre, les yeux battus de fatigue.

– Ne te réjouis pas trop vite, mon bonhomme ! Mais venez, dit-elle. J'ai à vous parler. Heimpi, reste-t-il un peu de café ? Ces enfants ont droit à un second petit déjeuner.

Une fois attablée devant un bol de café et des tartines grillées, Anna retrouva son calme et même assez de sang-froid pour calculer qu'elle manquerait le cours de géographie, matière dont elle se passait fort bien.

– Voilà, dit sa mère. C'est très simple. Papa estime que Hitler et les nazis ont toutes les chances de gagner les élections. Si c'était le cas, il pense qu'il ne serait souhaitable ni pour lui ni pour aucun de nous de rester à vivre ici, en Allemagne, sous leur botte...

– Parce que nous sommes juifs ? la questionna Anna.

– Pas seulement pour ça. Papa pense que personne ne pourra plus s'exprimer librement, Juif ou non-Juif, et qu'en ce qui le concerne particulièrement il ne pourra plus écrire ce qu'il veut. Les nazis n'aiment pas beaucoup la contradiction.

Elle but une gorgée de café, qui sembla lui redonner un peu d'optimisme.

– Bien sûr, on n'en est pas encore là. Et si cela arrivait, ça ne durerait sans doute pas longtemps : peut-être six mois, ou dans ces eaux-là. Mais hélas ! qui peut le dire ?

– Mais pourquoi papa est-il parti comme ça sans prévenir ? demanda Max.

– Parce que hier il a reçu un coup de téléphone l'avertissant qu'on allait venir lui confisquer son passeport. Aussitôt nous avons fait sa valise et il a pris le train de nuit pour Prague. C'est la voie la plus rapide pour quitter l'Allemagne.

– Qui lui aurait confisqué son passeport ?

– La police. Il y a maintenant beaucoup de nazis dans la police.

– Et qui a téléphoné pour l'avertir ?

Mutti fit un sourire, le premier depuis le début de l'entretien.

– Un autre policier, que papa n'a jamais vu mais qui a lu ses livres et les a aimés !

Les enfants restèrent un moment silencieux, occupés à digérer ce qu'ils venaient d'apprendre.

Puis Max demanda :

– Et nous, qu'est-ce qu'on va faire maintenant ?

– Les élections ont lieu dans dix jours. De deux choses l'une : ou bien les nazis sont battus, et papa revient ; ou bien les nazis gagnent, et dans ce cas nous le rejoignons...

– À Prague ?

– Non. Probablement en Suisse. On y parle allemand, et papa pourrait continuer à y écrire. Nous louerions une maison et resterions là jusqu'à ce que tout ça soit fini...

– Heimpi viendrait aussi ?

– Oui, elle viendrait.

Ces perspectives étaient finalement très excitantes. L'imagination d'Anna se mit en marche : un chalet de montagne... des chèvres (ou bien était-ce des vaches ?)...

– Il reste un point à traiter, fit la voix de sa mère soudain plus grave et la tirant de sa rêverie. C'est le point le plus important, et je vous demande toute votre attention. Il ne faut pas qu'on sache que votre père a quitté l'Allemagne. Vous devez n'en parler à personne. Si on vous demande de ses nouvelles, le mieux est que vous répondiez qu'il est toujours au lit avec la grippe.

– Je ne peux même pas dire la vérité à Gunther ? demanda Max.

– Non, même pas à Gunther. Ni à Gunther, ni à Elsbeth, ni à personne.

– Bon, dit Max. Mais ça ne sera pas facile. Les gens demandent tout le temps des nouvelles de papa.

– Mais pourquoi tout ce mystère ? demanda Anna. Pourquoi faut-il que personne ne sache qu'il est parti ?

– Écoutez, je vous ai expliqué tout cela comme je le pouvais, mais vous êtes encore des enfants. Il y a des choses que vous ne pouvez comprendre.

Papa pense que les nazis pourraient... comment dire ? Nous causer des ennuis, s'ils apprenaient son départ. Alors il ne veut pas que vous en parliez. Voilà ! Maintenant, allez-vous faire ce qu'il demande, ou non ?

Ils dirent que oui, bien sûr.

Après quoi, Heimpi les expédia à l'école. Anna s'inquiétait de savoir comment elle pourrait expliquer son retard. Max dit :

– Tu n'auras qu'à dire que maman ne s'est pas réveillée, ce qui est vrai d'ailleurs.

En fait, il n'y eut pas de questions. En classe de gym, il y eut une séance de saut en hauteur et Anna sauta plus haut que tout le monde. La fierté de cet exploit lui fit complètement oublier pour le restant de la matinée que son père était à Prague. Sur le chemin du retour, cela lui revint à l'esprit et elle forma des vœux pour qu'Elsbeth ne lui pose pas de question gênante. Mais Elsbeth se trouvait de son côté entièrement absorbée par ce problème capital : sa tante allait venir la chercher l'après-midi et l'emmener acheter un yoyo. De quelle sorte Anna pensait-elle qu'elle devrait le choisir ? Et de quelle couleur ? Les yoyos en bois étaient meilleurs, mais Elsbeth en avait vu un de couleur orange clair qui la tentait fortement, quoique en métal. Anna conseilla comme elle put, distraitement.

À la maison, l'après-midi lui parut s'annoncer de

la façon la plus ordinaire qui soit. Ni elle ni Max n'avaient de devoirs à faire, et il faisait trop froid pour sortir. Ils s'assirent sur un radiateur et restèrent à regarder par la fenêtre. Le vent secouait les volets et poussait d'épais nuages dans le ciel.

– Peut-être qu'on va avoir encore de la neige, dit Max.

– Tu as envie, toi, d'aller en Suisse ? demanda Anna.

– Je ne sais pas, répondit Max.

Tant de choses lui manqueraient : Gunther... la bande... l'équipe de football... et même l'école. Il dit :

– Je crois que nous devrons aller à l'école en Suisse aussi.

– C'est possible, dit Anna. Mais ce sera peut-être plus drôle qu'ici.

Elle avait honte de l'admettre, mais plus elle y réfléchissait et plus elle espérait aller en Suisse. Connaître un pays différent, vivre dans une autre maison, aller à une nouvelle école et s'y faire de nouvelles amies ! Un violent désir de cette expérience la traversa, et malgré le remords qui lui vint de son ingratitude envers tout ce qu'il lui faudrait laisser ici, son espoir fit naître un sourire sur ses lèvres.

– Ce serait seulement pour six mois, observa-t-elle d'un ton d'excuse. Et nous resterions tous ensemble...

Les jours suivants se passèrent sans grand-chose à signaler, hormis une lettre de leur père donnant de bonnes nouvelles : il allait mieux et vivait dans un confortable hôtel de Prague.

À Berlin, il y eut quelques personnes pour s'enquérir de sa santé, mais dont on satisfit la curiosité en répondant que sa grippe suivait son cours. Il y avait une vraie épidémie cet hiver-là, car le temps restait froid : les flaques sur les trottoirs avaient été reprises par le gel. La neige n'était pas revenue, pourtant.

Enfin, l'après-midi du dimanche précédant les élections, le ciel s'assombrit et lâcha soudain une masse tourbillonnante de flocons. Anna et Max étaient en train de jouer chez les jeunes Kentner, les voisins d'en face. Ils s'interrompirent pour regarder tout ce blanc qui tombait.

– Si seulement il avait neigé plus tôt ! regrettait Max. On aurait pu faire de la luge avant la nuit. Mais là, la couche ne sera pas assez épaisse...

À cinq heures, au moment pour Max et Anna de rentrer à la maison, cela avait cessé. Peter et Marianne Kentner les raccompagnèrent à leur porte. La neige avait tout recouvert d'une épaisseur immaculée sur laquelle brillait la lune.

– Et pourquoi n'irions-nous pas faire de la luge au clair de lune ? proposa Peter.

– Tu t'imagines peut-être que nous aurons la permission ?

– Nous l'avons déjà fait, nous, dit Peter, qui avait quatorze ans. Allez toujours demander à votre mère…

La permission fut accordée, à condition qu'ils restent tous ensemble et qu'ils rentrent avant sept heures. Ils enfilèrent leurs vêtements les plus chauds et partirent.

Un quart d'heure de marche suffisait pour atteindre Grünewald, où se trouvait une petite pente boisée formant une piste idéale aboutissant au lac gelé. Ils y avaient souvent fait de la luge, mais toujours en plein jour et parmi les cris de nombreux autres enfants. Ce soir, le silence était total, à peine troublé par le sifflement du vent dans les arbres, le crissement de la neige fraîche sous leurs pieds et le glissement des luges qu'ils tiraient derrière eux. Au-dessus de leurs têtes persistait un ciel de plomb et la lune projetait des ombres sur l'étendue bleutée de la neige. Parvenus au sommet de la colline, ils s'arrêtèrent pour regarder en bas. Ils seraient les premiers à marquer leurs traces sur cette couche vierge qui s'inclinait jusqu'au lac !

– Qui descend en premier ? demanda Max.

Anna hésita et se dandina un moment avant de pousser le cri du cœur :

– Oh ! moi ! s'il vous plaît… S'il vous plaît…

– D'accord, fit Peter. La plus jeune d'abord.

Marianne avait dix ans.

Anna s'installa sur sa luge, attrapa la corde de direction, respira un grand coup et donna avec ses pieds une vigoureuse poussée.

La luge prit son départ, plutôt doucement.

– Vas-y, pousse encore ! crièrent les garçons.

Mais Anna n'en fit rien. Elle releva les pieds sur l'avant des patins et attendit que la luge prenne sa propre vitesse. Quelques gerbes de neige poudreuse commencèrent à s'envoler. Les arbres se mirent à défiler de plus en plus vite. Maintenant elle dévalait la pente sous la pleine lune et c'était comme si elle avait plongé dans une poussière d'argent. Au bas de la pente, la luge prit appel sur une bosse et s'envola vers le lac, où elle atterrit dans une nappe de clarté. C'était très beau.

Les trois autres descendirent, chacun son tour, en poussant des cris de joie.

Puis on exécuta d'autres descentes. D'abord sur le ventre, la tête la première et le visage fouetté par la neige ; puis à plat dos, les pieds devant, et la cime des sapins filant à toute vitesse en sens inverse dans le ciel ; puis tous ensemble entassés sur la même luge et à tombeau ouvert, avec un atterrissage fracassant presque au milieu du lac. Après chaque glissade, ils ahanaient pour remonter au sommet en remorquant les luges, tout fumants de chaleur malgré le froid.

Il se remit à neiger. D'abord ils ne s'en aperçurent pas, mais un vent de plus en plus violent commença à leur projeter les flocons dans les yeux et Max, qui était à mi-côte en train de hisser sa luge, demanda :

– Quelle heure est-il ? Peut-être qu'on devrait rentrer.

Aucun n'avait de montre et il fallut se rendre à l'évidence : personne n'était capable de se faire une idée du temps qu'ils avaient pu passer là. Peut-être commençait-il à se faire tard et leurs parents les attendaient-ils à la maison.

– Je crois qu'on ferait mieux d'y aller, dit Peter – et il retira ses gants, qu'il frappa l'un contre l'autre pour faire tomber la croûte de neige qui y adhérait.

Ses mains étaient bleues de froid, comme celles d'Anna, qui en outre avait très froid aux pieds.

Le retour fut pénible. Leurs vêtements trempés laissaient passer les rafales de vent. La lune avait disparu derrière les nuages, plongeant le chemin dans les ténèbres. Anna fut soulagée quand ils quittèrent le couvert des sapins et débouchèrent sur la route. Bientôt ils rencontrèrent les premiers réverbères et des demeures aux fenêtres illuminées, ainsi que des magasins. Ils étaient presque arrivés.

Le cadran éclairé d'une horloge leur donna l'heure : pas encore tout à fait sept heures. Soulagés, ils ralentirent le pas. Max et Peter entamèrent une discussion sur le football. Marianne attacha sa luge à celle de son frère et disparut en courant devant elles sur la route déserte, laissant des traces entremêlées dans la neige. Anna restait à la traîne, marchant avec peine à cause de ses pieds gelés.

Elle put voir les deux garçons stopper devant chez elle. Ils restaient là à bavarder en l'attendant. Au moment où elle les rejoignait, elle entendit le grincement d'une grille dans son dos. Se retournant, elle aperçut une silhouette qui se dessina brièvement dans le halo d'un réverbère, et elle eut peur. Mais ce n'était que Fräulein Lambeck, vêtue de ce qui devait être une ample cape en peluche, et tenant à la main une lettre.

– Petite Anna ! appela Fräulein Lambeck. Petite Anna ! Toi, par une nuit si noire ! Quelle surprise ! J'allais à la boîte aux lettres et je ne pensais pas rencontrer âme qui vive. Comment va ton cher papa ?

– Sa grippe suit son cours, répondit Anna avec un bel automatisme.

Fräulein Lambeck s'arrêta, clouée par la surprise.

– La grippe ? Mais, ma petite Anna, tu m'as déjà dit qu'il avait la grippe il y a une semaine !

– Ben oui, fit Anna.

– Le pauvre homme ! se désola Fräulein Lambeck.

(Elle prit Anna par les épaules.) Est-ce qu'on le soigne seulement comme il faut ? Le docteur est-il venu ?

– Oui, dit Anna.

– Et qu'est-ce qu'il dit, le docteur ?

– Il dit... je ne sais pas exactement, fit Anna.

Fräulein Lambeck la dévisagea un instant, puis, se penchant sur elle, lui demanda sur le ton de la confidence :

– Dis-moi, petite Anna : combien de degrés de température a-t-il, ton cher papa ?

– Je ne sais pas ! cria Anna – et sa voix ne rendit pas du tout le son qu'elle aurait voulu, mais se brisa en un graillement de corneille. Excusez-moi, il faut que je rentre à la maison...

Elle prit ses jambes à son cou pour rejoindre Max qui ouvrait le portail.

*

– Eh bien, quoi, qu'est-ce qui t'arrive ? demanda Heimpi qui les accueillit dans l'entrée. Te voilà lancée comme un boulet de canon !

Anna aperçut sa mère par la porte entrebâillée du salon.

– Maman ! cria-t-elle. J'en ai assez de mentir à tout le monde au sujet de papa. Je déteste ça !

Pourquoi devons-nous le faire ? J'aimerais tant qu'on n'ait plus à le faire !

C'est alors qu'elle constata que Mutti n'était pas seule. Oncle Julius (pas réellement un oncle, mais un vieil ami de la famille) se tenait assis dans un fauteuil occupant le coin opposé de la pièce.

– Calme-toi, dit Mutti d'un ton sec. Nous détestons tous mentir à propos de papa, mais nous n'avons pas le choix. Je ne vous demanderais pas de le faire s'il ne le fallait pas absolument.

– Elle s'est fait coincer par Fräulein Lambeck, expliqua Max qui arrivait sur les talons de sa sœur. Et tu connais Fräulein Lambeck : même quand on a le droit de dire la vérité, c'est compliqué de s'en débarrasser...

– Ma pauvre Anna ! s'apitoya oncle Julius de sa belle voix de basse.

C'était un homme svelte et guilleret, adoré de tous dans la maison.

– Ton père, reprit-il, m'a chargé de vous dire que vous lui manquez tous énormément, et de vous faire à chacun des tas de baisers...

– Tu l'as vu ? s'écria Anna.

– Oncle Julius arrive tout juste de Prague, intervint Mutti. Papa va bien, et il nous donne rendez-vous en Suisse, à Zurich, dimanche prochain.

– Dimanche ? fit Max. Dans une semaine ? Mais

c'est le jour des élections ! Je croyais qu'on attendrait de voir qui les aurait gagnées ?

– Votre père a décidé qu'il valait mieux ne pas attendre. (Oncle Julius se tourna vers Mutti.) À mon avis, il dramatise un peu, non ?

– Mais pourquoi ? demanda Max. Qu'est-ce qui l'inquiète donc tellement ?

Sa mère soupira.

– C'est depuis cette histoire de passeport qu'il risquait de se voir confisquer... Il a peur qu'on nous confisque aussi les nôtres. Alors nous ne pourrions plus quitter l'Allemagne...

– Mais pourquoi nous en empêcherait-on ? argumenta Max. Si les nazis ne nous aiment pas, ils devraient être contents de nous voir partir...

– C'est exactement mon avis, dit oncle Julius. (Il adressa un sourire à son amie.) Ton mari est un sacré bonhomme doué d'une imagination débordante, et franchement j'ai dans l'idée que là, il s'emballe un peu vite ! Qu'importe ! Ça va vous faire d'excellentes vacances en Suisse, et quand vous reviendrez à Berlin, dans quelques semaines, nous fêterons votre retour en allant tous ensemble au zoo. Faites-moi savoir là-bas si je peux vous être utile en quoi que ce soit. À bientôt, j'en suis sûr !

Il embrassa les enfants, baisa la main de leur mère et prit congé.

– Va-t-on vraiment partir dimanche ? demanda Anna.

– Samedi, dit Mutti. C'est un long voyage d'aller en Suisse. Il nous faudra passer une nuit à Stuttgart.

– En tout cas, c'est notre dernière semaine à l'école, dit Max.

Voilà surtout qui semblait incroyable.

3

Les jours suivants, tout sembla aller très vite, comme dans un film en accéléré. Du matin au soir Heimpi tria, rangea et empaqueta. Mutti passait son temps au téléphone ou en courses pour organiser la location de la maison et la garde des meubles durant leur absence. Chaque fois que les enfants rentraient de l'école, ils trouvaient les lieux un peu plus vides qu'en partant.

Oncle Julius passa un soir, alors qu'ils aidaient leur mère à remplir des cartons de livres. Il considéra les étagères vides et sourit.

– Vous ne tarderez pas à remettre tout ça en place !

Cette nuit-là, ils furent réveillés par un vacarme de voitures de pompiers qui se suivaient à fond de train dans la grand-rue, au bout de la leur, en donnant le maximum de leur cloche. Ils se mirent à la fenêtre et virent une lueur orangée qui emplissait le ciel nocturne au-dessus du centre de Berlin. Le lendemain matin, il n'était question que de l'incendie qui avait détruit le Reichstag, édifice où se rassemblaient les parlementaires allemands. D'après les nazis, c'était un coup des « révolutionnaires » ; et eux, les nazis, pouvaient seuls mettre un terme à ce genre d'attentats ! Conclusion : il fallait voter pour eux. Mutti avait entendu dire, au contraire, que les nazis avaient eux-mêmes allumé l'incendie.

Oncle Julius passa cet après-midi-là, et pour la première fois il ne fit aucune allusion à leur retour certain à Berlin au bout de quelques semaines.

Les derniers jours d'école furent très étranges pour Anna et Max. N'ayant toujours pas le droit de parler de leur départ, ils l'oubliaient eux-mêmes et Anna accepta avec enthousiasme le rôle qu'on lui proposa dans une pièce de théâtre qu'elle ne serait plus là pour jouer. Quant à Max, il se réjouit beaucoup d'une invitation à un anniversaire où il n'irait jamais.

À chaque retour à la maison, les pièces étaient un peu plus dégarnies, mais repeuplées de caisses en bois et de valises. Le tri de leurs affaires se poursuivait. Le point délicat fut de décider quels jouets emporter. L'assortiment de jeux, sur quoi ils étaient tombés d'accord, prenait malheureusement trop de place. Le cœur serré, on dut se résoudre à n'emballer que quelques livres, plus un ou deux jouets en peluche pour Anna. Mais devait-elle choisir son lapin rose, compagnon de toujours, ou plutôt le chien, acquis depuis peu ? Grave dilemme ! Finalement il apparut que c'était dommage de laisser le chien, dont on avait eu si peu le temps de profiter. Heimpi l'empaqueta.

Max prit son ballon de football. Il serait toujours possible de se faire envoyer autre chose en Suisse, dit Mutti, si le séjour devait s'y prolonger.

Le vendredi, à la fin des cours, Anna alla trouver le professeur et lui dit simplement :

– Je ne viendrai pas demain, nous partons pour la Suisse.

Fräulein Schmidt n'eut pas l'air aussi surprise qu'Anna s'y attendait. Elle se contenta de hocher la tête en murmurant :

– Bien, bien... Je vous souhaite bonne chance...

Elsbeth non plus ne s'émut guère. Son seul commentaire fut qu'elle aussi aurait aimé aller en Suisse, mais qu'il y avait peu de chance qu'elle le pût, puis que son père travaillait à la poste.

Gunther était celui qu'on regrettait le plus de devoir quitter. Max le ramena à déjeuner après un ultime chemin de retour effectué ensemble. Il n'y avait à manger que des sandwichs, Heimpi n'ayant plus le temps de cuisiner. Après ce festin, ils jouèrent à cache-cache dans les caisses d'emballage, mais le cœur n'y était pas...

Max et Gunther avaient des têtes d'enterrement, et Anna faisait des efforts pour ravaler son chagrin. Elle aimait énormément Gunther, le quitter était pour elle un déchirement. Mais un refrain l'obsédait : « À cette heure-ci, demain, nous serons dans le train... À cette heure-ci, dimanche, nous serons en Suisse... À cette heure-ci, lundi... »

Gunther rentra chez lui. Heimpi avait trié des vêtements pour sa mère et Max l'accompagna pour l'aider à les porter. En revenant, il semblait plus gai et comme soulagé. Il avait longtemps redouté le moment de dire au revoir à Gunther, et maintenant c'était fait.

*

Le lendemain matin, Anna et Max furent prêts longtemps avant l'heure. Heimpi passa la revue de détail. Elle inspecta les ongles et vérifia les mouchoirs – deux pour Anna, légèrement enrhumée –, ainsi que l'agencement de leurs mi-bas, fixés sous le genou au moyen d'élastiques.

– Dieu sait dans quel état vous allez être, sans plus personne pour s'occuper de vous ! grommelait-elle.

– Mais tu nous rejoins dans quinze jours, dit Anna.

– Quinze jours suffiront à vous noircir le cou !

Puis on n'eut plus qu'à attendre le taxi.

– Voyons toute la maison une dernière fois, proposa Max.

Ils procédèrent du haut vers le bas. Les pièces ne se ressemblaient plus. Tout était emballé, les tapis avaient été roulés, seuls restaient des journaux épars à côté des caisses. Chaque pièce eut droit à un adieu sonore :

– Salut, chambre de papa !... Salut, palier !... et toi, escalier, salut aussi !...

– Un peu de calme, s'il vous plaît, fit Mutti qu'ils croisèrent.

– Au revoir, salon ! Adieu, salle à manger...

Ils continuèrent au pas de course.

– Au revoir, piano !... Au revoir, canapé !... cria Max.

– Au revoir, rideaux !... Au revoir, table !... Et au revoir, passe-plat !... lança Anna.

Au moment du salut au passe-plat, les deux volets de celui-ci s'ouvrirent et la tête de Heimpi, qui se trouvait à l'office, apparut. Le cœur d'Anna se serra. Heimpi avait si souvent fait cela pour l'amuser quand elle était petite ! C'était le jeu nommé « le coup d'œil du passe-plat ». Anna en raffolait. Comment était-il possible qu'il fallût quitter toutes ces choses ! Ses yeux s'embuèrent et sa gorge s'étrangla en une exclamation involontaire et assez bête :

– Oh, Heimpi, je ne veux pas vous quitter, toi et le passe-plat !

– Le malheur, dit Heimpi en entrant dans la salle

à manger, c'est qu'on ne peut pas le mettre dans une valise...

– Tu es sûre que tu viendras en Suisse ?

– Je ne vois pas comment faire autrement. Ta maman m'a donné mon billet de chemin de fer et je l'ai dans mon porte-monnaie.

– Heimpi, intervint Max, si jamais il te restait de la place dans ta valise – mais bien sûr, si ça ne t'ennuie pas –, est-ce que tu pourrais apporter l'assortiment de jeux ?

– Si... si... fit Heimpi. Avec des « si », ma grand-mère aurait eu des roues, et on se serait servi d'elle pour se promener en carriole ! C'est ce qu'elle disait toujours.

La sonnette retentit dans l'entrée. C'était le taxi. Anna se serra très fort contre la poitrine de Heimpi.

– N'oublie pas que les déménageurs viennent lundi pour le piano, dit Mutti à la gouvernante en l'embrassant à son tour.

Max cherchait partout ses gants. Il les avait dans sa poche.

Bertha pleurait, et l'homme qui s'occupait du jardin vint souhaiter bon voyage.

Juste au moment où le taxi démarrait, Gunther arriva en courant, tenant quelque chose à la main. C'était un paquet, qu'il lança à Max par la vitre baissée en disant, à propos de sa mère, quelque chose qu'on ne comprit pas car le taxi prenait de la vitesse.

Max cria au revoir. Gunther agita la main. Déjà le taxi remontait la rue. Anna vit s'éloigner la maison et le groupe qui leur faisait des signes d'adieu. Au bout de la rue, ils croisèrent les enfants Kentner se rendant à l'école : ceux-ci, absorbés par leur discussion, ne levèrent pas les yeux. Anna vit un dernier tout petit bout de la maison à travers les arbres... puis le taxi tourna le coin de la rue – et tout avait disparu.

Ce fut un curieux voyage en train avec Mutti et sans Heimpi. Anna redoutait d'avoir mal au cœur. Petite, elle avait été sujette au mal des transports, et même maintenant qu'elle était grande, Heimpi ne manquait jamais de la munir d'un sac en papier, « au cas où », disait-elle. Mais Mutti avait-elle pris un sac en papier ?

Le train était bondé. Max et elle avaient eu de la chance de pouvoir se placer près de la fenêtre et ils regardaient le morne paysage défiler à toute allure. Bientôt la grisaille se changea en pluie et ils observèrent comment les gouttes venaient s'écraser avec un « floc » contre la vitre, puis dégoulinaient doucement jusqu'en bas. Mais cette distraction finit par leur paraître fastidieuse, et quoi faire ensuite ? Anna regarda sa mère du coin de l'œil. Heimpi, elle, avait toujours des bonbons, ou une pomme, pour vous aider à prendre votre mal en patience.

Mutti se tenait le buste en arrière, la nuque

contre l'appui-tête, les coins de la bouche tombant et le regard fixement posé – sans le voir – sur le crâne chauve du monsieur qui lui faisait face. Elle tenait serré sur ses genoux le fourre-tout orné d'un motif de chameau qu'elle avait rapporté d'un voyage en Égypte avec Vati. Anna comprit qu'il devait renfermer tous leurs billets et passeports. Mutti le retenait avec tant de force qu'un de ses doigts écrabouillait la tête du malheureux chameau.

– Maman, dit Anna, tu fais mal au chameau.

– Comment ? fit Mutti.

Puis, comprenant ce qu'Anna voulait dire, elle relâcha sa pression.

La tête de l'animal reprit, au grand soulagement d'Anna, l'air stupide et bonasse qu'on lui avait toujours connu.

– Vous ne vous ennuyez pas trop ? demanda Mutti. Nous traversons l'Allemagne, ce que vous n'avez jamais fait. Avec un peu de chance la pluie finira par cesser, et vous pourrez admirer le paysage...

Elle leur parla des vergers de Bavière – encore à des centaines de kilomètres d'où ils se trouvaient.

– Dommage que nous ne fassions pas ce voyage un peu plus tard dans l'année, vous auriez vu les arbres en fleurs.

– Peut-être qu'il y en aura déjà quelques-uns qui le seront, dit Anna.

Mais sa mère déclara que c'était trop tôt – avis partagé par le monsieur au crâne chauve. L'un et l'autre dirent en chœur combien c'eût été beau à voir et Anna, convaincue, regretta hautement que ce ne fût pas possible.

– S'ils ne sont pas encore fleuris, dit-elle, peut-être le seront-ils à notre retour ?

Mutti ne répondit d'abord pas, puis elle dit :

– Je l'espère.

La pluie tombait toujours. Ils décidèrent de jouer aux devinettes et Mutti se révéla excellente à ce jeu. On traversait les régions, et sans pourtant pouvoir rien distinguer des changements de paysages, on remarquait des intonations et des accents différents à chaque groupe de voyageurs qui montait aux stations. Certaines voix étaient quasi incompréhensibles et même comiques, au point que Max caressa l'idée de poser des questions du style : « Quelle heure est-il ? » ou « Est-on à Leipzig ? », dans le seul but d'entendre la réponse.

Ils déjeunèrent au wagon-restaurant, archi-luxueux et proposant un menu au choix. Anna prit des saucisses de Francfort avec de la salade de pommes de terre – son plat préféré. Elle ne ressentait aucun « mal des transports ».

L'après-midi, elle et Max s'amusèrent à parcourir le train de bout en bout, et une fois revenus à leur compartiment ils restèrent dans le couloir. La pluie avait redoublé et la nuit tomba tôt. Les vergers eussent-ils été en fleurs, ils n'en auraient rien vu. Les ténèbres fuyaient derrière les reflets de leurs visages dans la vitre. Anna sentit sa tête s'alourdir. Son nez menaçait de se mettre à couler, comme par contagion de ce qui tombait sur la campagne. Elle revint s'asseoir à sa place et se blottit comme elle put sur la banquette, en souhaitant qu'on arrivât bientôt à Stuttgart.

– Pourquoi ne lis-tu pas le livre de Gunther ? lui suggéra sa mère.

Le paquet de Gunther contenait en effet deux cadeaux. L'un, de sa part pour Max, était un jeu d'adresse, une petite boîte au couvercle transparent sous lequel on voyait la gueule ouverte d'un monstre, dans laquelle il s'agissait de faire tomber trois minuscules billes en plomb : grand exploit, surtout dans un train en marche. L'autre cadeau, adressé à Anna et à Max par la mère de Gunther, était un livre intitulé : *Ils grandirent et devinrent célèbres*. Sur la page de garde, elle avait écrit : « Quelque chose à lire pendant le voyage, en remerciement pour toutes les jolies affaires. »

Ce livre traitait de la jeunesse de plusieurs grands hommes et Anna, que ce sujet passionnait, s'y plongea avec voracité. Mais le style en était si grandiloquent et si définitivement assommant qu'il lui tomba bientôt des mains.

Il ressortait néanmoins du peu de pages qu'elle avait réussi à lire que tous les gens célèbres n'avaient pas eu une vie facile. Le père de l'un avait été ivrogne. Un autre s'était trouvé dans la situation d'avoir à laver des centaines de bouteilles sales. Le troisième avait été la victime d'un oncle dénaturé. Tous avaient connu ce qu'on appelle une enfance « à la dure », à croire que ce genre d'enfance constituait un premier pas obligé sur la route de la gloire.

Anna s'assoupit, recroquevillée dans son coin, tenant sa paire de mouchoirs sous son nez, rêvant au moment où ils arriveraient à Stuttgart et à cet avenir plus lointain où elle-même serait célèbre. Mais le train qui fonçait à travers la nuit allemande rythmait dans ses pensées sommeillantes cette objection répétitive : « Enfance à la dure... enfance à la dure... enfance à la dure... »

4

Soudain elle prit conscience qu'on la secouait doucement. Elle avait dû s'endormir. La voix de sa mère disait :

– Nous arrivons à Stuttgart.

Comme une somnambule, elle se mit debout, enfila son manteau, et quelques instants plus tard elle et Max se trouvaient assis sur une valise devant la sortie de la gare de Stuttgart, tandis que leur mère se lançait à la recherche d'un taxi. La pluie tournait au déluge, martelant le toit de la gare et faisant comme un rideau de verroteries tendu sur la place sombre qui s'étendait devant eux. Le froid les gagnait peu à peu. Enfin Mutti réapparut.

– Quel pays ! s'exclama-t-elle. Ils ont ici une sorte de grève, à cause des élections ou de je ne sais quoi. Bref : pas de taxis ! Mais vous voyez cette enseigne de l'autre côté de la place ?...

On distinguait une lueur bleuâtre à travers les trombes d'eau.

– C'est un hôtel, dit Mutti. Nous allons juste

garder ce qu'il nous faut pour la nuit, et le gagner à la nage…

Ils déposèrent leurs bagages à la consigne et traversèrent tant bien que mal la place inondée. Le sac dont Anna avait la charge cognait contre sa jambe, et la pluie l'aveuglait. Elle trébucha et mit le pied dans une flaque, jusqu'à la cheville. Mais enfin, ils traversèrent ! Une fois au sec, Mutti réserva des chambres, après quoi elle demanda quelque chose à manger pour elle et Max. Anna monta directement se coucher et s'endormit tout de suite.

Ils se levèrent très tôt. Il faisait encore nuit.

– Nous allons revoir papa, dit Anna au petit déjeuner, qu'ils prirent les premiers, dans la salle à manger de l'hôtel encore mal éclairée.

Le serveur, les yeux bouffis de sommeil, l'humeur brutale de quelqu'un qu'on dérange, jetait le pain et le café devant eux plutôt qu'il ne les disposait. Maman attendit qu'il fût reparti vers les cuisines pour dire :

– Avant d'arriver à Zurich et de revoir papa, il nous faut encore passer la frontière entre l'Allemagne et la Suisse.

– Faudra-t-il qu'on descende du train ? demanda Max.

– Non. Nous resterons dans le compartiment et un employé viendra contrôler nos passeports, tout comme l'a fait le contrôleur des billets. Mais

– et elle regarda ses deux enfants l'un après l'autre – vous ne devrez pas dire un mot. Je l'exige. C'est très important ! Pas un mot, ni l'un ni l'autre ! C'est compris ?

– Pourquoi ? demanda Anna.

– Parce que sinon, fit Max qui était de mauvaise humeur comme chaque fois qu'il n'avait pas eu son content de sommeil, ce contrôleur dira : « Quelle sale petite bavarde, je vais lui confisquer son passeport »...

– Maman ! s'écria Anna. Il ferait ça, vraiment ? Il confisquerait mon passeport ?

– Mais non, sans doute pas. Mais quand même. Il faut prendre toutes les précautions et ne pas nous faire remarquer. Le nom de papa est si connu ! Alors rappelez-vous : quand l'homme passera, plus un mot, plus le moindre petit mot ! Qu'il n'entende même pas le son de votre voix !

Anna promit de faire attention.

*

La pluie avait enfin cessé, facilitant grandement la traversée de la place en sens inverse pour regagner la gare. À la faveur d'une éclaircie, Anna put voir les affiches électorales placardées aux murs. Deux ou trois électeurs faisaient la queue devant un bureau de vote en attendant l'ouverture. Elle se demanda pour quel candidat ils allaient voter.

Le train était pratiquement vide et ils bénéficièrent d'un compartiment entier pour eux seuls jusqu'à la station d'après, où monta une dame avec un panier au bras. Anna perçut tout de suite un léger remue-ménage en provenance de l'intérieur du panier. Il devait renfermer quelque chose de vivant. Elle chercha les yeux de Max pour y lire s'il avait entendu comme elle, mais Max était trop occupé à ruminer sa mauvaise humeur et regardait par la fenêtre, sourcils froncés. Du coup, l'humeur d'Anna se dégrada aussi et elle se souvint de son mal à la tête, et que ses pieds étaient encore humides de la nuit précédente.

– C'est quand, la frontière ? demanda-t-elle à sa mère.

– Je ne sais pas. Bientôt.

Anna remarqua que la tête du chameau se trouvait à nouveau malmenée.

– Dans une heure, ou plus ?

– Vas-tu à la fin t'arrêter de poser des questions ? dit Max, se mêlant de ce qui ne le regardait pas. Tu ne pourrais pas la fermer ?

– Ferme-la toi-même ! dit Anna piquée au vif.

Elle chercha quelque chose à ajouter qui fût particulièrement cinglant. Tout ce qu'elle trouva fut de soupirer :

– Ah ! si je pouvais avoir une sœur !

– Et moi, si je pouvais ne pas en avoir !

– Pour l'amour du ciel, arrêtez vos disputes ! intervint leur mère. Nous avons bien assez de soucis comme ça !

Le chameau subissait des traitements d'autant plus rudes que Mutti vérifiait continuellement la présence des passeports à travers l'étoffe du sac.

Anna se rejeta en arrière, dégoûtée de tout. La dame au panier en avait sorti un énorme quignon de pain bourré de jambon qu'elle mastiquait placidement. Personne ne dit plus rien durant un moment. Puis le train ralentit.

– Excusez-moi, demanda Mutti, savez-vous si nous arrivons à la frontière suisse ?

La dame au panier secoua la tête sans cesser de mastiquer.

– Tu vois bien, chuchota Anna à l'adresse de Max, maman aussi pose des questions...

Max, pour toute réponse, leva les yeux au ciel. Anna réprima une forte envie de lui expédier un coup de pied. Sa mère la surveillait du coin de l'œil.

Le train stoppa. Puis il repartit. Un peu plus loin, nouvel arrêt. Et ainsi de suite. À chaque station Mutti s'informait si c'était la frontière suisse, et chaque fois la dame au panier secouait la tête. Enfin, le train ralentissant une fois de plus et s'arrêtant à la hauteur d'un groupe de bâtiments, elle dit :

– Cette fois, j'ai l'impression que nous y sommes.

Ils attendirent en silence dans le wagon immobile. Il y eut des bruits de voix et de portières qui s'ouvraient et se refermaient. Enfin, des pas dans le couloir. La porte de leur compartiment s'ouvrit brusquement et le contrôleur des passeports pénétra. Son uniforme ressemblait à celui du contrôleur des billets, et il portait une épaisse moustache noire.

Il examina le passeport de la dame au panier, hocha la tête, le marqua d'un petit coup de tampon et le lui rendit.

Puis il se tourna vers Mutti. Elle lui tendit les passeports avec un sourire, sa main gauche infligeant au chameau des tortures effroyables. L'homme regarda les passeports l'un après l'autre. Il regarda les visages l'un après l'autre, pour vérifier s'ils correspondaient aux photos des passeports. Il leva son tampon. Mais un détail le chiffonnait. Il regarda de nouveau les passeports. Enfin il les tamponna, et les rendit à Mutti.

– Bon voyage, dit-il en rouvrant la porte du compartiment.

Il ne s'était rien passé de tragique ! Anna en voulait à Max de lui avoir fait peur pour rien.

– Alors, tu vois... s'écria-t-elle – mais sa mère lui jeta un tel regard qu'elle ravala tout net la suite de sa phrase.

Le contrôleur avait refermé la porte derrière lui.

– Anna, dit Mutti. Nous sommes encore en Allemagne.

Anna se sentit devenir écarlate. Sa mère rangea les passeports dans le fourre-tout, après quoi ils gardèrent un silence que meublaient le remue-ménage à l'intérieur du panier de la dame et les bruits de mastication d'un deuxième sandwich au jambon, sans parler de divers fracas de portières. Cela semblait devoir durer une éternité.

Le train s'ébranla, roula quelques centaines de mètres, stoppa à nouveau et les portières se rouvrirent. Une voix dit : « La douane... rien à déclarer ? » et un troisième homme en uniforme fit son entrée dans le compartiment, auquel Mutti et la dame au panier dirent que non, elles n'avaient rien à déclarer. Il fit une marque à la craie sur les bagages, y compris le panier. Encore un peu d'attente, puis un coup de sifflet. Le train se remit en marche, et cette fois il prit de la vitesse et s'élança à pleine vapeur à travers la campagne.

Au bout d'un moment, Anna demanda :

– Est-on en Suisse, maintenant ?

– Je crois, mais je n'en suis pas sûre.

– Oh si ! fit la dame au panier en s'arrêtant de mâcher. Nous sommes en Suisse, je vous le garantis ! C'est mon pays.

– Hourra ! fit Anna. C'est la Suisse ! Nous sommes en Suisse !

– Pas trop tôt ! lâcha Max, dont l'expression renfrognée s'éclaira.

Mutti, radieuse, rendit sa liberté au chameau et posa le fourre-tout sur la banquette à côté d'elle.

– Les enfants, dit-elle, nous serons bientôt avec papa.

Anna, dans un transport de joie, voulut prononcer une parole historique, mais ne sut rien faire d'autre que de demander à la dame suisse :

– Excusez-moi, mais qu'y a-t-il dans votre panier ?

– C'est simplement mon Mog, répondit la dame d'une voix tranquille où chantait une intonation helvétique.

Sans savoir pourquoi, Anna trouva l'explication d'un comique irrésistible. Se retenant pour ne pas éclater, elle jeta un coup d'œil à Max, qui visiblement faisait lui aussi des efforts de sérieux considérables.

– Qu'est-ce que c'est qu'... qu'est-ce que c'est qu'un Mog... commença-t-elle – mais la dame souleva le couvercle d'osier et un terrible cri rauque s'échappa du panier :

– Moooâââ !

La tête miteuse d'un gros chat noir se montra.

C'en était trop. Anna et Max laissèrent éclater leur hilarité.

– Tu vois... il te répond... hoqueta Max. Tu as demandé... qu'est-ce que c'est, un Mog... et il a dit...

– Moooâââ !... hurla Anna.

– Les enfants, voyons !

Mutti les rappelait à l'ordre, mais ce fut peine perdue. Ils ne pouvaient retrouver leur calme. Le fou rire les reprenait à tout propos et les secoua à chaque nouveau détail insignifiant du voyage jusqu'à Zurich. Mutti présenta toutes ses excuses à la dame au panier, mais celle-ci prétendit que cela ne la dérangeait pas le moins du monde et qu'elle avait d'ailleurs reconnu au premier coup d'œil des enfants d'un heureux caractère. Chaque fois que le calme paraissait rétabli, il suffisait que Max demandât : « Qu'est-ce que c'est qu'un Mog ? », et c'était reparti ! Anna s'écriait : « Moooâââ !... » et l'on s'esclaffait à en perdre haleine.

Tout en cherchant leur père sur le quai de la gare de Zurich, ils riaient encore.

*

Anna fut la première à le voir. Il se tenait devant le kiosque à journaux. Son visage était pâle et ses yeux cherchaient activement parmi les flots de voyageurs que déversait le train.

– Papa ! cria-t-elle. Papa !

Il tourna la tête et les vit. Et lui d'habitude si digne, si réservé se mit à courir à leur rencontre. Il prit Mutti dans ses bras et la couvrit de baisers. Puis il embrassa Anna et Max tous deux à la fois. Puis il reprit Mutti dans ses bras. Puis il les prit tous les trois ensemble. Il les serrait à les étouffer, et semblait ne jamais plus vouloir les lâcher.

– Je ne vous trouvais pas dans la foule, dit-il, et j'avais peur...

– Je m'en doute, dit Mutti.

5

Vati avait réservé des chambres dans le meilleur hôtel de Zurich, remarquable par sa porte à tambour, ses tapis épais et sa débauche de dorures. Comme il n'était encore que dix heures du matin, ils prirent un second petit déjeuner qui permit à chacun de faire son compte rendu des événements depuis le départ de Vati pour Prague. Ils commencèrent à discuter, mais bientôt ils s'aperçurent qu'on pouvait tout aussi agréablement rester sans rien dire et goûter simplement le plaisir d'être enfin réunis. Anna et Max se débattaient dans des problèmes de choix entre deux sortes de croissants et trois de confitures, et tandis qu'ils engloutissaient plusieurs combinaisons possibles de ces bonnes choses, leurs parents se regardaient en souriant. De temps à autre un détail matériel remontait à la surface et Vati demandait, par exemple :

– Est-ce que tu as pu t'arranger pour prendre des livres ?

Ou alors c'était Mutti qui disait :

– Ils ont téléphoné du journal pour avoir un article de toi cette semaine.

Puis on retournait à un silence béat.

Max avala le fond de son chocolat chaud, essuya les dernières miettes de croissant sur ses lèvres et demanda :

– Qu'est-ce qu'on va faire, maintenant ?

Personne n'y avait réfléchi.

Vati proposa :

– Faisons un petit tour dans Zurich.

Ils décidèrent de commencer par l'ascension d'une colline surplombant la ville. On accédait à son sommet très escarpé par un funiculaire, sorte d'ascenseur à roues qui grimpait à même une arête très raide. Anna n'avait jamais rien connu de pareil et était partagée entre l'excitation que lui procurait cette expérience inédite et l'examen minutieux des câbles pour y déceler le moindre signe d'usure.

Du haut de la colline, on embrassait du regard toute la ville de Zurich, ramassée sur la rive d'un immense lac bleu. Il était si grand que la ville paraissait toute petite à côté de lui, et que la rive d'en face se perdait dans les montagnes. Des bateaux à vapeur, semblables à des jouets vus de là-haut, traçaient leur sillage le long des bords, accostant çà et là pour desservir les diverses agglomérations éparpillées dans la campagne. Le soleil baignait tout ce panorama d'une lumière paisible.

– Est-ce qu'on peut faire un tour dans ces bateaux ? demanda Max au moment où Anna allait elle-même poser la question.

– Si vous en avez envie, d'accord pour cet après-midi, promit leur père.

Le déjeuner fut un festin dans un restaurant à baie vitrée surplombant le lac, mais Anna n'y toucha guère car sa tête lui tournait, sans doute de s'être levée le matin de si bonne heure, pensa-t-elle. Son nez ne coulait plus, mais à présent c'était sa gorge qui lui faisait mal.

Sa mère la regarda avec sollicitude.

– Comment te sens-tu, mon Anna ?

– Ça va, répondit-elle en pensant au tour en bateau sur le lac.

Il ne s'agissait pas de rater ça – et puis de toute façon ce n'était qu'un peu de fatigue.

Une boutique vendait des cartes postales à côté du restaurant. Anna en acheta une pour Heimpi, et Max une pour Gunther.

– Je me demande comment auront tourné les élections, dit Mutti. Crois-tu que Hitler va gagner ?

– J'en ai peur, dit Vati.

– Moi, ça m'étonnerait, dit Max. Plein de types de ma classe étaient contre lui. On va peut-être apprendre demain que personne n'a voté pour Hitler, et alors on pourra rentrer à la maison, comme l'a dit oncle Julius.

– Possible, lui accorda Vati – mais Anna vit bien qu'il en doutait.

Le tour en bateau fut un succès. Anna et Max restèrent sur le pont malgré le vent froid, suivant avec passion le trafic sur le lac. Outre les bateaux à vapeur naviguaient des vedettes privées et quelques barques de pêche. Leur bateau à eux passa de ponton en ponton en hoquetant le long de la berge. Les villages étaient jolis avec leurs toits enfouis dans la verdure. Quand le bateau arrivait en vue d'un embarcadère, il annonçait son arrivée aux habitants du village au moyen d'un coup de corne. À chaque escale, des gens montaient et d'autres descendaient.

Au bout d'une heure de ce cabotage, le bateau prit le large et mit le cap sur un village de la rive opposée, après quoi il rentra au port à Zurich.

En revenant à l'hôtel, dans le vacarme des voitures et des tramways, Anna prit conscience d'une grande fatigue qui s'abattait sur elle. Sa tête tournait de plus belle. Ce fut un soulagement de retrouver la chambre qu'elle partageait avec Max. Elle n'avait pas plus faim qu'à midi. Sa mère, lui trouvant mauvaise mine, la mit directement au lit sans dîner. Sitôt qu'elle eut la tête sur l'oreiller, son lit lui sembla lever l'ancre et se mettre à voguer dans le noir avec une rumeur de « teuf teuf teuf » qui devait être celle d'un bateau à vapeur, ou d'un train – ou de quelque autre chose dans son crâne…

*

La première impression d'Anna en ouvrant les yeux le matin suivant fut qu'il y avait trop de lumière dans la chambre. Elle les referma aussitôt et resta étendue sans bouger, tâchant de reprendre ses esprits. Un bruit de voix lui parvenait de l'autre bout de la pièce, accompagné de temps à autre d'un froissement non identifiable. Il devait être tard et tout le monde déjà debout.

Elle rouvrit les yeux avec précaution et se souleva sur un coude. Elle reconnut la pièce. Max, encore en pyjama, se tenait assis sur le lit d'en face. Mutti et Vati l'entouraient. Vati lisait le journal, et c'était le papier qui produisait le bruit de froissement chaque fois qu'il tournait les pages. Tous trois parlaient à voix basse pour ne pas la réveiller.

La chambre eut une oscillation, Anna referma les yeux et elle eut l'impression de partir à la dérive, tandis que les murmures continuaient près d'elle.

Une voix disait : « ... et donc, ils obtiennent une majorité... » Une autre (ou était-ce la même qui reprenait) : « ... suffisamment de votes pour leur donner les mains libres... » Puis la voix de Max, consternée : « ... alors nous ne rentrons pas à la maison... ne rentrons pas à la maison... pas à la maison… » L'avait-il réellement dit trois fois ? Anna fit un effort pour regarder.

– Maman, soupira-t-elle.

Aussitôt une des trois silhouettes se détacha des deux autres et s'approcha. Le visage de Mutti apparut à portée de main, dans un brouillard. Anna redit : « Maman ! » et fondit en larmes, car elle avait tellement mal à la gorge !

Après, le brouillard s'épaissit. Mutti et Vati étaient debout à côté du lit, secouant un thermomètre. Vati avait son manteau sur lui. Il avait dû sortir pour aller acheter le thermomètre. « Trente-neuf huit », entendit Anna, mais elle ne se souvenait pas qu'on lui eût pris sa température. Quand elle ouvrit les yeux la fois suivante, il y avait un monsieur à barbiche penché sur elle. Il dit :

– Eh bien, jeune demoiselle – et il sourit, mais à peine avait-il souri que ses pieds quittaient le sol et qu'il se changeait en corbeau et allait se percher en haut de l'armoire en croassant : « Grrrippe !… Forte grippe ! », et Mutti le chassait par la fenêtre.

Soudain il fit nuit. Anna demanda à Max de lui apporter un verre d'eau, mais Max n'était plus dans l'autre lit de la chambre, c'était Mutti à sa place.

– Pourquoi dors-tu dans le lit de Max ?

– Parce que tu es malade, dit Mutti.

Anna se sentit transportée de joie à l'idée que,

puisqu'elle était malade, Heimpi allait venir s'occuper d'elle.

– Dis à Heimpi... commença-t-elle – mais une immense lassitude l'empêcha de poursuivre.

Un peu plus tard, l'homme à barbiche réapparut. Cela déplut à Anna, parce qu'il embêtait Mutti en répétant : « Complications... complications... » En plus, il palpait le cou d'Anna, qui était enflé et douloureux. Elle essaya de crier : « Non », le plus impérieusement possible, mais cela ne fit ni chaud ni froid au barbichu, qui se mit en tête de vouloir lui faire boire quelque chose d'ignoble. Anna se débattait, quand elle s'aperçut que ce n'était plus lui le tortionnaire, mais Mutti en personne, dont les yeux bleus exprimaient tant de détermination que toute résistance était manifestement inutile. Enfin le brouillard se dissipa et le monde extérieur se stabilisa quelque peu. Anna comprit qu'elle avait été malade, que sa fièvre persistait et que la cause principale de son malaise était que tout son cou était enflammé.

– Il faut absolument que la température baisse, dit le docteur à barbiche.

– Je vais mettre un cataplasme sur sa gorge pour la soulager, dit Mutti.

Anna aperçut une cuvette d'où montait une fumée.

– C'est trop chaud, cria-t-elle, je n'en veux pas !

– Je ne te le mettrais pas si c'était trop chaud, dit sa mère.

– Je n'en veux pas ! Tu ne sais pas t'occuper de moi ! Où est Heimpi ? Heimpi ne me mettrait rien de brûlant sur le cou !...

– Arrête tes bêtises, dit Mutti (et elle appliqua sur son propre cou un morceau de coton qu'elle venait de tremper dans la cuvette). Là, dit-elle. Si ça ne me brûle pas, ça ne te brûlera pas non plus !

Elle transféra fermement le coton sur le cou d'Anna, autour duquel elle enroula prestement un bandage.

C'était chaud, mais supportable.

– Tu vois bien, dit Mutti. Tu n'en es pas morte.

Anna, mécontente, ne répondit rien. La pièce se remit à tournoyer, et comme le brouillard regagnait du terrain, elle entendit sa mère qui disait :

– Cette fichue température descendra, même si je dois y laisser toutes mes forces !

Plus tard encore, elle avait dû s'assoupir ou rêver, car son cou avait retrouvé un peu de tiédeur et sa mère était en train de dérouler le bandage en disant :

– Voyons comment se porte Gros Cochon...

– Gros Cochon ? répéta faiblement Anna.

Mutti tâta délicatement un des ganglions de son cou.

– Le voici, Gros Cochon. C'est le pire de tous.

L'autre, à côté, se présente bien mieux ; nous l'appellerons Petit Cochon. Celui-ci, c'est Cochon rose, et cet autre, Cochon de Lait. Quant à celui-là, comment va-t-on l'appeler ?

– Fräulein Lambeck, proposa Anna – et elle se mit à rire.

C'était un rire faible, tenant plutôt du soupir, mais qui parut néanmoins donner à Mutti toute satisfaction.

Les compresses chaudes continuèrent, mais en fin de compte ce traitement n'était pas si terrible, et du reste il fournissait l'occasion de retrouver toute la bande de Cochon rose, Gros Cochon, Petit Cochon et Fräulein Lambeck. La gorge allait mieux, mais la température refusait de tomber. Anna se réveillait en assez bonne forme, mais les vertiges reprenaient au milieu de la journée, et le soir le brouillard réenvahissait tout. Les idées les plus étranges lui passaient par la tête. Les motifs du papier peint la jetaient dans des angoisses inexplicables. Elle supportait mal d'être seule. Mutti l'ayant quittée un soir pour descendre dîner, elle eut soudain l'impression que les murs de la chambre se rapprochaient et qu'elle allait mourir écrasée. Elle poussa des cris terribles. Les soirs suivants, Mutti se fit servir un plateau à son chevet. Le docteur à barbiche déclara :

– Ces crises ne devraient plus revenir trop souvent.

Un après-midi qu'elle était couchée, en train de regarder les rideaux que Mutti venait de tirer, car il commençait à faire sombre, et qu'elle cherchait à y déchiffrer les formes du jour (la veille, ils avaient dessiné une autruche et, la température d'Anna montant, l'autruche était devenue de plus en plus vivante, jusqu'à pouvoir marcher tout autour de la chambre), un après-midi, donc, qu'Anna regardait les rideaux en y trouvant, cette fois, une espèce d'éléphant, elle entendit qu'on chuchotait à l'autre bout de la pièce.

Elle tourna la tête tant bien que mal.

Son père et sa mère étaient là, regardant ce qui semblait être une lettre.

Elle ne comprenait pas les paroles de sa mère, mais elle sentit de la contrariété dans sa voix. Vati replia la lettre et prit la main de Mutti. Anna pensa qu'il allait s'en aller – mais il ne partait pas. Il restait là, tenant la main de Mutti. Anna considéra le tableau qu'ils formaient tous deux dans la pénombre, mais bientôt ses yeux fatigués se fermèrent. Les voix chuchotantes avaient pris un ton plus tranquille et égal. Cela faisait, somme toute, un murmure apaisant. Anna s'endormit.

Elle se réveilla longtemps après, avec le sentiment qu'il se passait quelque chose d'étrange dont elle ne pouvait découvrir la nature. La lampe était toujours allumée, sous laquelle Mutti s'asseyait habituellement, et Anna pensa que sa mère avait dû oublier de l'éteindre en se couchant. Mais Mutti n'était pas couchée, elle se tenait toujours là, au côté de Vati, toujours sa main dans la sienne. Vati tenait toujours dans sa main libre la lettre repliée.

– Papa ! Maman ! dit Anna. Je me sens si bizarre...

Ils accoururent à son chevet. Mutti lui posa une main sur le front et décida de prendre sa température. Quand ce fut fait, elle agita le thermomètre d'un air incrédule.

– Elle est normale ! dit-elle. Pour la première fois depuis quatre semaines, sa température est normale !

– C'est la seule chose qui compte, dit Vati en froissant la lettre.

Anna se rétablit rapidement. Gros Cochon, Cochon de Lait et toute la clique se résorbèrent et sa gorge cessa de lui faire mal. Elle recommença à s'alimenter et put lire. Max lui tenait compagnie et jouait aux cartes avec elle entre deux promenades avec Vati. Bientôt il lui fut permis de se lever et de s'asseoir pour un moment dans le fauteuil. Mutti devait l'aider à se mettre debout et à effectuer les pas nécessaires à travers la chambre, mais une fois installée près de la fenêtre, au soleil, quel bien-être !

Dehors, le ciel était bleu. Les passants déambulaient sans manteaux. La fleuriste du kiosque d'en face proposait des bottes de tulipes, et le noisetier du coin de la rue se couvrait de feuilles. Le printemps était là. Anna n'en revenait pas de constater à quel point tout avait changé depuis le jour où elle était tombée malade. La rue entière paraissait célébrer le renouveau et la fleuriste, petite dame brune et boulotte qui ressemblait vaguement à Heimpi, ne savait où donner de la tête pour servir ses clients.

À propos de Heimpi, Anna fut assaillie par un brusque souvenir. Il avait toujours été question qu'elle les rejoignît deux semaines après leur départ d'Allemagne. Un mois environ s'était écoulé. Qu'est-ce qu'elle fabriquait ? Question qu'il lui tardait de poser à Mutti.

Mais c'est Max qui se présenta le premier.

– Max, dit Anna, que fait Heimpi ?

Max prit un air embarrassé et commença par dire :

– Veux-tu que je t'aide à te remettre au lit ?...

– Non. Réponds-moi pour Heimpi.

– Eh bien... je ne sais pas si c'est à moi de te l'annoncer, mais il est arrivé beaucoup de choses pendant ta maladie.

– Quoi donc ?

– D'abord, Hitler a gagné les élections. Alors il a tout de suite pris le contrôle de tout, le gouvernement et tout le reste avec, et à présent c'est comme papa l'avait prévu : personne n'a plus le droit de dire un mot contre lui. Si on le fait, on est mis en prison.

– Est-ce que Heimpi a dit quelque chose contre Hitler ?

Anna imagina sa gouvernante enfermée à double tour dans un donjon de château fort.

– Bien sûr que non, dit Max. Mais papa, lui, l'a fait – et continue à le faire. Alors personne n'a le droit de le publier en Allemagne, et il ne peut plus gagner d'argent. Et nous ne pouvons plus payer ses gages à Heimpi.

– Je vois, fit Anna. Si je comprends bien, nous sommes pauvres.

– C'est de cet ordre, dit Max. Seulement papa va essayer d'écrire pour des journaux suisses, et s'il y arrive, ça ira de nouveau mieux pour nous.

Il se leva et Anna dit rapidement, pour le retenir :

– Je n'aurais pas cru que Heimpi s'intéressait à l'argent. J'aurais pensé que si nous trouvions une petite maison, elle viendrait s'occuper de nous de toute façon, même sans qu'on puisse la payer...

– Ce n'est pas si simple, dit Max – et il observa : Du reste, nous ne pouvons pas avoir de maison, puisque nous n'avons pas de meubles.

– Mais...

– Les nazis nous ont tout pris. Ça s'appelle : « confiscation de biens ». Papa a su ça par une lettre la semaine dernière. (Max grimaça.) On aurait dit un de ces mélos où les acteurs apportent toutes les cinq minutes une mauvaise nouvelle... Et pour couronner le tout, il y avait toi, avec un pied dans la tombe !

– Un pied dans la tombe, tu exagères !

– Moi, je savais bien que non. Mais ce docteur suisse, avec ses pronostics très lugubres... Maintenant, retourne au lit !

– J'y vais, dit Anna.

Elle se sentait faible. Max la soutint jusqu'au lit. Quand elle y fut confortablement allongée, elle demanda à son frère :

– Cette... « confiscation de biens », comme tu dis, ça veut dire que les nazis ont tout pris ? Même nos affaires à nous deux ?

– Je crois que oui, fit Max.

Anna fit marcher son imagination. Elle vit le piano du salon parti... et partis, les rideaux à fleurs de la salle à manger. Partis aussi, son lit et tous ses jouets ; y compris son lapin rose en peluche.

Un long moment, elle rumina le chagrin qu'elle éprouvait de la perte du lapin rose. Elle revoyait ses yeux de broderie noire (les yeux d'origine, en verre, depuis longtemps arrachés et perdus) et cette façon si émouvante qu'il avait de refuser la position debout. Sa fourrure, d'un rose fané, était si douce, si familière ! Comment avait-elle pu l'abandonner là-bas au profit de ce chien idiot et sans intérêt que

Heimpi lui avait finalement emballé ? Quelle erreur ! Irrattrapable erreur !

– J'avais bien dit qu'il fallait emporter l'assortiment de jeux de société, dit Max. À l'heure qu'il est, Hitler doit être en train de faire une partie de dames sur notre damier !

– Ou de câliner mon lapin rose, ajouta Anna.

Elle rit, mais des larmes lui montèrent aux yeux et se mirent à couler sur ses joues.

– Allons, dit Max, au moins nous avons la chance d'être ici...

– Qu'est-ce que tu veux dire exactement ?

Max fixait un point vague dans la rue, par la fenêtre. Il annonça, avec un calme étudié :

– Heimpi a fait savoir à papa que les nazis sont venus à la maison le lendemain matin des élections, pour confisquer nos passeports.

6

Dès qu'Anna eut repris des forces, ils déménagèrent de leur hôtel de luxe au profit d'une petite auberge que Vati et Max avaient dénichée au cours de leurs promenades vers les villages des bords du lac. Elle voisinait avec l'embarcadère et s'appelait pompeusement *Hôtel Zwirn*, du nom de son propriétaire, Herr[1] Zwirn. La cour en était joliment pavée, et son jardin descendait jusqu'à l'eau. On n'y faisait principalement que déjeuner ou dîner, mais Herr Zwirn louait aussi quelques chambres à prix modique. Mutti et Vati emménagèrent dans l'une d'elles, et Max et Anna s'en partagèrent une autre afin d'économiser encore. La salle à manger au rez-de-chaussée, agréable et spacieuse, proposait à l'admiration de la clientèle ses murs couverts de bois de cerfs enguirlandés d'edelweiss ; mais quand le temps le permettait, Frau[2] Zwirn servait aussi les

---

1. « Monsieur », en allemand.
2. « Madame », en allemand.

repas aux tables installées dans le jardin sous les noisetiers au bord de l'eau, et Anna eût été la dernière à s'en plaindre.

Les samedis et dimanches, des musiciens du village venaient jouer jusque tard dans la nuit. Leur musique se mêlait au miroitement de l'eau et au tremblement des feuillages, à travers lesquels on pouvait voir passer les bateaux à vapeur. Au crépuscule, Herr Zwirn appuyait sur un bouton et des petites lumières s'allumaient dans les noisetiers, permettant aux dîneurs de s'y retrouver dans le contenu de leurs assiettes. En même temps les bateaux à vapeur allumaient leurs feux de signalisation. Il y en avait des orange, et d'autres encore plus jolis d'un bleu violâtre qui répandait des reflets sombres. Toute cette magie de lumières couvrant la gamme des bleus entre la surface du lac et le ciel nocturne faisait à Anna l'effet d'un beau cadeau qu'une fée lui eût offert.

Le ménage Zwirn avait trois enfants qu'on voyait toujours courir pieds nus, et quand Anna se sentit assez ferme sur ses jambes, Max et elle partirent avec eux en exploration dans la campagne environnante. On y trouvait des bois, des rivières, des torrents, des routes bordées de pommiers, tout cela couvert de fleurs sauvages.

Parfois Mutti les accompagnait plutôt que de rester seule à l'auberge quand Vati partait pour Zurich, ce qu'il faisait presque chaque jour pour avancer ses pourparlers avec les journaux suisses.

Les petits Zwirn, comme tout le monde au village, parlaient le dialecte de l'endroit, auquel Anna et Max mirent un certain temps à s'habituer, mais une fois ce problème résolu, Max put se faire initier à la pêche à la ligne par l'aîné, Franz, tandis qu'une des sœurs, Vreneli, enseignait à Anna la version locale du jeu de marelle. Seulement Max n'attrapa jamais de poisson.

Anna se rétablit bientôt tout à fait et sa mère annonça qu'il était temps pour elle et Max de retourner à l'école. Max irait au collège de Zurich et prendrait le train pour s'y rendre, moyen de locomotion moins amusant mais plus rapide que le bateau. Quant à Anna, elle accompagnerait les jeunes Zwirn à l'école du village, et comme Vreneli et elle étaient à peu près du même âge, elles seraient dans la même classe.

– Tu seras ma meilleure amie, dit Vreneli.

Elle avait un visage furtif encadré de deux longues tresses maigrelettes couleur gris souris. Anna n'était pas absolument sûre de vouloir être la meilleure amie de Vreneli, mais ce n'aurait pas été gentil de le lui dire.

Le lendemain elles se mirent en route ensemble, Vreneli comme toujours pieds nus et ses chaussures à la main. Aux abords de l'école, elles rencontrèrent d'autres enfants qui portaient pour la plupart eux aussi leurs chaussures à la main. Quelques filles s'approchèrent, auxquelles Vreneli présenta Anna, mais les garçons restèrent tous sur l'autre bord de la route et se contentèrent de les regarder de loin. Peu après qu'ils eurent tous atteint l'aire de jeu de l'école, la cloche sonna, agitée par un maître, d'où s'ensuivit un grand branle-bas d'enfilage de chaussures : le règlement de l'école exigeait qu'on y entrât chaussé, mais la plupart des élèves attendaient la dernière seconde pour obtempérer.

*

Le maître d'Anna s'appelait Herr Graupe. C'était un homme d'âge mûr, la barbe poivre et sel, avec qui on ne plaisantait pas. Il plaça Anna près d'une fille blonde aux allures joyeuses et décidées qui se nommait Roesli, et quand Anna prit l'allée centrale pour gagner sa table, un murmure se fit entendre.

– Qu'est-ce qui se passe ? s'enquit Anna à voix basse dès que Herr Graupe eût tourné le dos.

– Tu as pris l'allée du milieu, répondit Roesli en chuchotant. C'est les garçons qui passent par l'allée du milieu.

– Par où vont les filles ?

– Par les côtés.

Étrange organisation, semblait-il. Mais Herr

Graupe avait entrepris de couvrir le tableau noir d'additions et le moment ne se prêtait pas aux éclaircissements. Les additions étaient faciles et Anna s'en tira avec brio. Ayant fini avant tout le monde, elle se mit à regarder autour d'elle.

Les garçons étaient assis tous ensemble sur deux rangées, séparément des filles. À l'école de Berlin, tout le monde était mélangé. Quand Herr Graupe demanda qu'on rendît les livres, Vreneli se leva pour ramasser ceux des filles, tandis qu'un gros rouquin ramassait ceux des garçons. Le rouquin traversa la classe en son milieu ; Vreneli passa par les côtés. Quand ils se retrouvèrent chacun avec sa pile devant le bureau de Herr Graupe, ils s'évitèrent du regard, mais Anna remarqua que le visage de Vreneli rosissait entre les nattes gris souris.

À la récréation, les garçons s'entraînèrent au football et se bagarrèrent d'un côté du terrain, tandis que les filles jouaient à la marelle ou discutaient sagement de l'autre en faisant semblant de ne pas les voir, mais en réalité ne les quittant pas des yeux sous leurs cils baissés. Et sur le chemin du retour, à midi, Vreneli se passionnait tellement pour les facéties du rouquin sur l'autre côté de la route qu'elle faillit rentrer dans un arbre.

L'après-midi, il n'y eut qu'une heure de chant, après quoi la classe fut terminée pour la journée.

– Alors, quelles sont tes impressions ? demanda Mutti à Anna quand elle revint, à trois heures.

– Très bien, dit Anna. Mais c'est drôle, les garçons et les filles ne se parlent pas, et puis aussi, je ne suis pas sûre que je vais apprendre grand-chose dans cette école...

En corrigeant les additions, Herr Graupe avait lui-même commis plusieurs fautes et son orthographe ne semblait pas très assurée.

– Tant pis si tu n'apprends pas grand-chose, ça ne te fera pas de mal de prendre un peu de repos après ta maladie.

– J'aime bien le chant, dit Anna. Ils chantent tous des tyroliennes, et ils vont m'apprendre.

– Grand Dieu ! cria sa mère, qui en perdit une maille.

Elle venait de se mettre au tricot, science nouvelle pour elle, à laquelle elle s'initiait par la force des choses (pour économiser l'argent d'un gilet dont Anna avait le plus urgent besoin). Elle y faisait ses premiers pas sous la haute autorité de Frau Zwirn, qui l'avait conseillée lors de l'achat des aiguilles et de la laine, et lui avait montré comment s'en servir. Mais ça n'allait pas tout seul ! Alors que Frau Zwirn s'y prenait en souplesse, assise dans son fauteuil presque immobile et seuls ses doigts travaillant à faire cliqueter les aiguilles, Mutti tricotait de l'épaule, en force, avec une espèce de rage d'escrimeuse, poussant et tirant ses aiguilles comme autant de rapières. Résultat, les mailles sautaient, la laine cassait, le gilet n'en finissait pas de commencer et ce qu'il y avait de fait tenait plus de la serpillière que du tricot.

– C'est une méthode dont je n'ai pas l'habitude, avait dit Frau Zwirn, mais au fond, quand votre gilet sera fini, il sera sûrement très chaud...

*

Un dimanche matin, peu après leurs débuts à l'école, Max et Anna virent une silhouette bien connue descendre du bateau à vapeur et traverser l'embarcadère à grands pas. C'était oncle Julius, plus mince que jamais, et il sembla à Anna qu'un morceau de leur vie berlinoise s'avançait avec lui, comme émergeant des profondeurs du lac.

– Julius ! cria Vati en le voyant. Que viens-tu faire par ici ?

Il exultait. Oncle Julius lui adressa une moue désabusée.

– En fait, officiellement, je n'y suis pas ! Je ne sais pas si tu es au courant, mais par les temps qui courent il n'est pas très raisonnable de venir te voir...

Il rentrait à Berlin après un congrès de naturalistes qui s'était tenu en Italie et qu'il avait quitté un jour plus tôt que prévu, exprès pour venir leur rendre visite.

– Je t'en suis très reconnaissant, dit Vati.

– Les nazis sont certainement des nouilles, reprit oncle Julius, et ils prouvent leur stupidité en te considérant comme un ennemi de l'Allemagne. Ils ont brûlé tous tes livres !

– Je sais. Mais il paraît que mes livres n'étaient pas en si mauvaise compagnie dans les flammes.

– Nos livres ? fit Anna. Je croyais que les nazis avaient seulement confisqué nos affaires. Je ne savais pas qu'ils les avaient brûlées...

Oncle Julius expliqua :

– Il ne s'agit pas des livres que ton père possédait dans sa bibliothèque. Il s'agit des livres qu'il a écrits. Les nazis ont allumé de grands feux aux quatre coins du pays et ont jeté dedans tous les exemplaires qu'ils ont pu trouver.

– De même qu'ils y jetaient les ouvrages de mes distingués collègues nommés Einstein, Freud, H. G. Wells, etc., ajouta Vati.

Oncle Julius hocha sombrement la tête.

– Louons le Ciel que vous n'ayez pas suivi mes conseils ! Louons le Ciel que vous soyez partis au bon moment ! Mais bien sûr, cette situation en Allemagne ne saurait durer bien longtemps...

Pendant le déjeuner, qu'ils prirent dans le jardin, le visiteur donna des nouvelles des uns et des autres. Heimpi s'était replacée dans une autre famille. Cela ne lui avait pas été facile, toutes les portes se refermant devant elle à l'annonce qu'elle avait travaillé chez Vati. Mais elle avait finalement réussi, et ça semblait être une assez bonne place. Quant à leur maison, elle n'était toujours pas vendue et restait vide dans l'attente d'un acquéreur.

C'est étrange, songeait Anna, qu'oncle Julius puisse être libre de ses allées et venues. Il pouvait circuler dans Berlin, descendre leur rue en venant de la papeterie, pousser le portail blanc... S'il avait eu une clé, oncle Julius aurait pu entrer dans la maison, monter leur escalier jusqu'à leurs chambres, parcourir le salon, la salle à manger, l'office où se tenait Heimpi...

Anna revoyait les lieux si nettement qu'elle revisitait en esprit la maison de la cave au grenier, tandis que les trois grandes personnes continuaient à bavarder.

– Et vous, comment ça va ici ? demandait oncle Julius. Arrives-tu à écrire ?

Vati arqua un sourcil.

– Je n'ai aucune peine à écrire, dit-il, mais j'en ai à faire publier ce que j'écris.

– Comment est-ce possible ?

– On dirait que les Suisses sont si jaloux de leur neutralité qu'ils rechignent à publier les écrits d'un anti-nazi notoire comme moi.

Oncle Julius semblait scandalisé.

– Mais alors, demanda-t-il, comment ça va, je veux dire : financièrement ?

– Comme ci, comme ça, dit Vati. Et puis je m'efforce de les faire changer d'attitude.

Puis ils parlèrent de leurs relations communes, et on eût dit qu'ils se récitaient une longue liste de noms. L'un avait été arrêté par les nazis. Un autre s'était enfui et réfugié aux États-Unis. Un troisième avait trouvé des « accommodements » (Anna se demanda ce que c'était que des accommodements) et acceptait d'écrire des articles à la louange du régime. La liste continuait. Toutes les conversations d'adultes sont comme ça aujourd'hui, songea Anna, et son attention se perdit dans la rumeur des vaguelettes qui venaient mourir contre la rive et dans le bourdonnement des guêpes emplissant le feuillage des noisetiers.

L'après-midi, Max et Anna emmenèrent oncle Julius faire un tour dans les bois, où il découvrit, tout excité, une espèce de crapaud rare qu'il ne lui avait jamais été donné d'observer. Ensuite ils firent une promenade dans une barque de louage, puis dînèrent – et enfin ce fut l'heure des adieux.

– Nos visites au zoo me manquent, dit oncle Julius en embrassant Anna.

– Et à moi donc ! dit-elle. Ce que j'aimais le plus, c'était les singes...

– Je t'enverrai une photo d'eux.

On accompagna le voyageur à l'embarcadère. Comme le bateau s'approchait, Vati se tourna brusquement vers son ami.

– Julius, n'y retourne pas. Reste avec nous. Tu n'es pas en sûreté en Allemagne.

– Qui, moi ? fit oncle Julius de sa belle voix grave. Mais qui veux-tu qui me cherche des embêtements ? Mon domaine, c'est les crapauds et les boas constrictors... Je ne fais pas de politique et je ne suis même pas juif, sauf vaguement par ma pauvre vieille grand-mère...

– Julius, je crois que tu ne te rends pas compte.

– Ne t'en fais pas, tout rentrera bientôt dans l'ordre.

Le bateau accostait en renversant la vapeur dans un halètement redoublé.

– Allez, au revoir, mon vieux, dit oncle Julius.

Il les embrassa tous les quatre une seconde fois l'un après l'autre et, à mi-chemin de la passerelle d'embarquement, il s'arrêta, se retourna et cria :

– Il ne peut rien m'arriver ! Ce serait une trop grosse perte pour les singes du zoo !

7

Anna aimait de plus en plus son école. Elle s'était fait d'autres amies que Vreneli, notamment Roesli, sa voisine de table, la plus décontractée de la classe. Les cours ne présentaient pour elle aucune difficulté, elle brillait sans effort, et si Herr Graupe n'était pas une pointure dans les matières même élémentaires, il fallait lui accorder des dons supérieurs de chanteur de tyroliennes. L'école plaisait surtout à Anna par quelques nouveautés par rapport à ce qu'elle avait connu avant. Elle plaignait Max, qui faisait les mêmes choses au collège de Zurich qu'à celui de Berlin.

Elle ne ressentait qu'un seul manque, celui de pouvoir partager les jeux des garçons. À Berlin, garçons et filles avaient toujours joué ensemble. Ici, la sempiternelle marelle des filles commençait à lui peser et elle se prenait à lorgner avec envie, à la récréation, les jeux plus violents et les bousculades des garçons.

Un jour, la marelle même vint à manquer.

Les filles s'étaient sagement assises à regarder un groupe de garçons qui s'entraînaient à faire la roue. Roesli, blessée au genou, s'était assise avec les autres. Vreneli dévorait des yeux le gros rouquin qui pourtant ratait toutes ses roues, retombant comme un sac de farine malgré les conseils techniques des garçons plus agiles.

– Veux-tu faire une marelle ? proposa Anna à Vreneli, mais celle-ci fit non de la tête, fascinée par le spectacle.

Anna aimait énormément faire la roue. C'était vraiment trop bête de rester assise comme ça. Et puis il fallait arrêter ce rouquin !

Comme mue par un ressort, elle se mit debout et quitta le groupe des filles pour s'avancer vers celui des garçons.

– Regarde, dit-elle au rouquin, il faut garder les jambes droites, comme ça.

Elle exécuta une roue parfaite.

Les autres garçons s'interrompirent pour observer ce qui allait se passer.

– C'est très facile, dit Anna, mais tu ne réussiras que si tu te souviens de ce que je te dis pour tes jambes.

Le rouquin l'écoutait, indécis. Les autres garçons lui crièrent :

– Eh bien ! Vas-y, essaie !

Il essaya, et y arriva un peu mieux. Anna fit une

deuxième démonstration qui dut lui rendre la chose soudain totalement lumineuse, car il exécuta lui-même, au moment où la cloche sonnait, une roue de champion, un modèle du genre.

Anna réintégra le groupe des filles sous les regards approbateurs des garçons mais plutôt fuyants de ses compagnes. Vreneli semblait franchement furieuse. Seule Roesli lui décerna un rapide sourire.

Le cours qui suivait la récréation était le cours d'histoire et Herr Graupe entama une conférence sur les hommes des cavernes. Ils avaient vécu plusieurs millions d'années auparavant, dit-il. Ils avaient appris à faire du feu, à fabriquer des outils de plus en plus perfectionnés et s'étaient progressivement civilisés. Le progrès s'était répandu de caverne en caverne par l'intermédiaire de colporteurs venant troquer des objets utilitaires.

– Quel genre d'objets utilitaires ? le questionna un garçon.

Herr Graupe tourna la barbe et décocha un regard de mépris. Des tas de choses étaient utilitaires pour les hommes des cavernes, lança-t-il. Par exemple des lits ; ou des pelotes de laine ; ou encore des épingles de nourrice, leur servant à attacher leurs peaux de bêtes ! Anna s'étonna mentalement de ce démarchage des cavernes pour un trafic d'épingles de sûreté, et elle faillit demander à Herr Graupe s'il était bien sûr de ce qu'il avançait. Mais elle se ravisa sagement. D'ailleurs la cloche sonnait, annonçant la sortie.

Sur le chemin du retour pour le déjeuner, elle restait à tel point plongée dans ses méditations sur la vie des cavernes qu'elle ne s'aperçut qu'à mi-trajet que Vreneli lui faisait la tête.

– Qu'est-ce que tu as, Vreneli ?

Vreneli tire-bouchonnait ses maigres tresses sans mot dire.

– Mais enfin, qu'y a-t-il ?

Vreneli regardait au loin.

– Tu le sais parfaitement, consentit-elle à répondre.

– Non, je n'en sais rien.

– Je te dis que si !

– Franchement, je t'assure que non. S'il te plaît, dis-le-moi.

Vreneli refusait de s'expliquer. Elle fit l'autre moitié de la route les yeux fixés sur l'horizon, murée dans son silence, le nez en l'air. Ce ne fut qu'en arrivant à l'auberge qu'Anna eut droit à un bref regard, dans lequel se lisaient non seulement de la rancune, mais aussi du désespoir. Vreneli s'enfuit en criant par-dessus son épaule :

– De toute façon, de toute façon... tout le monde a vu ta culotte !...

À table, assise entre sa mère et son père, Anna gardait un silence inhabituel.

– Quelque chose ne va pas à l'école ? demanda Mutti.

Anna réfléchit. À vrai dire, deux choses n'allaient pas. L'une, c'était l'attitude extravagante de Vreneli ; et l'autre, les thèses non moins extravagantes de Herr Graupe à propos des épingles de nourrice. Anna renonça à exposer le cas Vreneli, qu'elle jugeait trop confus, et répondit sur l'autre point.

– Maman, est-ce que c'est vrai que les hommes préhistoriques attachaient leurs peaux de bêtes avec des épingles de nourrice ?

La question provoqua un fou rire et donna lieu à des questions et des réponses qui se prolongèrent gaiement jusqu'au dessert – après quoi il fut l'heure de retourner à l'école. Vreneli ne l'avait pas attendue et Anna dut faire le chemin toute seule.

La classe de l'après-midi était consacrée au chant, et il y eut quantité de tyroliennes qui ravirent Anna. La dernière note poussée, elle se trouva soudain nez à nez avec le gros rouquin.

– Bonjour, Anna ! dit-il hardiment – ce qui déclencha des rires parmi l'assistance.

Sans attendre de réponse, il tourna les talons.

– Pourquoi me dit-il bonjour ? s'étonna Anna.

Roesli sourit.

– M'est avis que toi, tu vas te faire raccompagner... (Et elle ajouta :) Pauvre Vreneli !

Anna aurait aimé quelques explications, mais la mention de Vreneli lui rappela qu'elle devait se dépêcher si elle ne voulait pas rentrer seule. Elle dit donc « À demain » et quitta Roesli en vitesse. Mais pas l'ombre d'une Vreneli sur l'aire de jeu. Anna l'attendit un moment pour le cas où elle aurait eu à aller aux toilettes, mais en vain. Les seuls encore présents sur l'aire de jeu étaient le rouquin et quelques-uns de sa bande, qui avaient l'air aussi d'attendre quelqu'un. Vreneli avait dû faire exprès de lui fausser compagnie. Anna attendit encore un peu, mais voyant que cela ne servait à rien elle se mit en route. Le rouquin et son escorte lui emboîtèrent le pas.

Une dizaine de minutes de marche suffisait pour rentrer à l'*Hôtel Zwirn* et Anna commençait à bien connaître le chemin. La grille de l'école franchie, elle prit à droite et se mit à descendre la rue, non sans remarquer que le rouquin et consorts en faisaient autant. La rue aboutissait à un chemin de cailloux qui descendait à pic vers une route, laquelle, après de nombreux zigzags, vous menait à l'auberge. Ce fut dans le chemin de cailloux qu'Anna se rendit compte qu'il se passait quelque chose d'inhabituel. Les cailloux, sous ses pieds, faisaient pas mal de bruit, mais pas suffisamment pour couvrir d'autres bruits plus étouffés derrière elle. Elle dressa l'oreille, puis risqua un coup d'œil par-dessus son épaule. C'était le rouquin et sa bande. Leurs chaussures se balançaient à leurs mains et ils traînaient leurs pieds nus dans le cailloutis comme s'il se fût agi d'un tapis de haute laine. Sans avoir besoin de se retourner, Anna sut que tous les regards étaient braqués sur elle. Elle pressa le pas, mais ils le pressèrent de même. Quelques secondes plus tard, un petit caillou ricochait devant elle. Elle en était à se demander d'où il tombait, quand un deuxième caillou vint lui toucher la jambe. Elle fit volte-face, juste à temps pour surprendre le geste du rouquin qui venait d'en ramasser un troisième et s'apprêtait à le lancer.

– Qu'est-ce que tu fais ? Arrête ! cria-t-elle.

Il sourit, et lança le caillou. Ses acolytes se mirent à en lancer aussi. Aucun caillou ne touchait Anna, ou s'il la touchait, c'était un tout petit caillou inoffensif, mais la chose n'était quand même pas trop plaisante. Un des garçons, plus petit que les autres et aux jambes en arceau, ramassa une pleine poignée de gravier.

– Tu n'as pas intérêt à me la lancer ! l'avertit Anna.

Le ton était si froid qu'il fit un pas en arrière. Néanmoins il lança sa poignée de gravier, en faisant bien attention de manquer son but. Anna le fusilla du regard, et le drame resta en suspens durant quelques secondes.

Soudain le rouquin se détacha du groupe et poussa un cri, auquel les autres répondirent. Cela donnait une sorte de chant sur deux tons : « An-na ! An-na ! » qu'ils accompagnèrent d'un ou deux jets supplémentaires de gravier. Un des cailloux toucha Anna à l'épaule. C'en était trop. Elle tourna le dos et prit ses jambes à son cou.

Une pluie de cailloux s'abattit sur elle, lui rebondissant sur les omoplates et dans les jambes. « An-na ! An-na !... » Ils la poursuivaient ! Elle courait avec beaucoup de peine dans ces cailloux. Vivement qu'elle atteigne la route, qui au moins ne leur offrirait plus de munitions ! Elle y arrivait enfin... La joie de se retrouver sur une chaussée lisse et unie, confortablement goudronnée ! Mais ils gagnaient du terrain... « An-na ! An-na !... » Maintenant qu'ils ne ramassaient plus de gravier, rien ne les ralentissait.

Anna vit un objet d'assez belle taille la dépasser et rouler devant elle sur l'asphalte. C'était une chaussure. Ils lui lançaient leurs chaussures ! Au moins ils s'arrêteraient pour les récupérer. Coudes au corps, elle passa un tournant et vit enfin l'*Hôtel Zwirn* au bout de la ligne droite. Les derniers mètres étaient en pente, elle les dévala tête la première et déboula, dans un suprême effort, au milieu de la cour de l'auberge.

« An-na ! An-na ! An-na !... » La horde était sur ses

talons, précédée d'une averse de chaussures... Mais alors, miracle ! tel un ange justicier apparut Mutti, jaillissant de la salle à manger avec la violence d'une tornade. Elle s'abattit sur le rouquin et le gifla à toute volée. Puis elle se saisit d'une chaussure, l'écrasa sur le crâne de son propriétaire et fonça dans le groupe qui se dispersa en absolue débandade. En même temps elle ne cessait de hurler :

– Qu'est-ce qui vous prend ? Mais qu'est-ce qui vous prend ?...

C'est ce qu'Anna elle-même aurait bien voulu comprendre.

Mutti avait mis la main au collet du petit aux jambes arquées et le secouait comme un prunier pour qu'il parle.

– Je ne te lâcherai pas, disait-elle, je ne te lâcherai pas tant que tu ne m'auras pas dit pourquoi vous avez fait ça !

Le malheureux eut un regard furtif, puis marmonna quelque chose.

– Quoi ? Que dis-tu ? hurla Mutti.

Alors le garçon, en devenant cramoisi :

– C'est parce que nous l'aimons, cria-t-il. Nous avons fait ça parce que nous l'aimons !

De surprise, Mutti le lâcha, et il détala comme un lièvre à travers la cour et s'enfuit sur la route.

– Parce qu'ils t'aiment... fit Mutti incrédule.

Ni elle ni Anna ne pouvaient concevoir qu'on

jetât des pierres à ceux qu'on aime. Mais Max, consulté sur ce cas étrange, ne parut pas surpris.

– C'est ce qu'ils font ici, dit-il. Quand ils sont amoureux de quelqu'un, ils le bombardent.

– Tout de même ! Ils étaient six, soupira Mutti. Ils pourraient trouver d'autres moyens de faire leur cour !

Max haussa les épaules.

– Que veux-tu, c'est leur façon.

À quoi il ajouta :

– À la place d'Anna, je me sentirais plutôt flattée...

Quelques jours plus tard, Anna surprit son frère au village en train de lancer des pommes vertes à Roesli. En ce qui concerne les coutumes locales, Max était quelqu'un de très adaptable.

*

Anna ne trouvait pas très drôle d'avoir à retourner à l'école le lendemain.

– Et s'ils sont encore amoureux de moi aujourd'hui ? J'en ai assez de leur servir de cible.

Mais ses craintes s'avérèrent sans fondement. L'intervention de Mutti avait à ce point terrifié la bande qu'aucun n'osait plus lever les yeux sur Anna. Même le rouquin regardait obstinément ailleurs. Du coup, Vreneli se radoucit et renoua avec Anna des relations tout aussi amicales qu'auparavant. Anna parvint même à la persuader de tenter une roue dans la plus stricte intimité, dans un coin retiré derrière l'auberge. Mais en public, à l'école, elles se tenaient toutes deux modestement du côté de la piste de marelle.

8

Vati avait reçu de la Société littéraire de Zurich une invitation à une « sortie » qui tombait précisément le jour des dix ans d'Anna. Quand il fit état de cette coïncidence, Anna fut aussitôt invitée, ainsi que Max et Mutti. Mutti était ravie.

– Quelle heureuse chose ! disait-elle. Quelle façon agréable de fêter ton anniversaire !

Mais Anna ne partageait pas cet enthousiasme.

– Moi, j'aurais préféré une petite fête comme d'habitude.

Sa mère parut déconcertée.

– Mais rien n'est comme d'habitude ! fit-elle observer. Nous ne sommes pas à la maison...

Anna s'en était aperçue. Elle estimait néanmoins que son anniversaire aurait dû normalement donner lieu à une célébration particulière, distincte de toute « sortie » collective. Elle se tenait coite.

– Écoute, poursuivit Mutti, je t'assure que ce sera agréable. Ils vont louer un bateau spécial uniquement pour les invités, et nous irons presque à l'autre bout du lac et là nous pique-niquerons sur une île, et nous rentrerons tard !...

Anna ne paraissait pas convaincue.

*

Elle ne le parut pas plus quand arriva le grand jour et qu'elle vit ses cadeaux. En tout et pour tout, il y avait une carte d'oncle Julius, des crayons de la part de Max, une boîte pour les ranger de la part de ses parents, plus un petit chamois en bois. Le chamois n'était pas mal, mais quand Max avait eu dix ans son cadeau avait été une bicyclette. Sur la carte d'oncle Julius, on voyait un singe. La petite écriture soignée, au dos, disait : « Un joyeux anniversaire, et beaucoup d'autres encore plus joyeux à venir ! » Anna reporta ses espoirs sur cette seconde partie du programme, car le présent anniversaire semblait devoir manquer singulièrement de joie.

– Eh oui, fit Mutti en voyant la tête qu'elle faisait, que veux-tu, c'est un drôle d'anniversaire pour toi cette année... Mais tu deviens une grande fille, et une grande fille ne tient pas compte des cadeaux !

C'était le genre de réflexion dont on s'était dispensé lors des dix ans de Max. Et dix ans n'est pas un anniversaire comme les autres, songea Anna, amère. C'est le premier avec deux chiffres !

*

La sortie fut un raté. Le beau temps du matin avait tourné à la canicule, on étouffait sur le bateau. D'autre part les membres de la Société littéraire de Zurich parlaient tous comme Fräulein Lambeck, c'est-à-dire beaucoup. L'un d'eux s'adressait à Vati en lui servant du « cher Maître » et lui tenait la jambe sans discontinuer.

– Cher Maître, croyez bien que je suis désolé pour votre article... disait-il, une main posée sur sa bedaine.

– Et moi donc ! dit Vati. Mais voici ma fille Anna, qui a dix ans aujourd'hui.

– Bon anniversaire, lui souhaita l'interlocuteur d'une manière assez brève.

C'était un homme plutôt jeune, remarquable par sa dentition, qui semblait uniquement composée de canines. Il revint aussitôt au sujet précédent et développa ses regrets de n'avoir pu faire publier l'article de Vati, regrets d'autant plus vifs qu'il l'avait personnellement trouvé « splendide ». Oui, sincèrement « splendide ». Mais voilà... Le cher Maître y faisait étalage d'opinions, comment dire... tellement violentes !... Alors vous comprenez, l'obligation de mesure que s'imposait le journal... sans compter qu'il fallait respecter le principe national de neutralité... bref, le cher Maître devait se rendre compte.

– Je me rends compte, dit Vati – et cette réponse eût dû suffire à clore l'entretien.

Mais le jeune homme s'accrochait. Les temps étaient si durs, disait-il. Quelle affreuse chose que les nazis aient cru bon de brûler les ouvrages du cher Maître ! Le cher Maître avait dû en ressentir tant de colère et de dégoût ! Oh oui, le jeune homme se mettait à la place du cher Maître, et d'autant plus aisément qu'au moment même où les nazis perpétraient cette abomination lui-même, le jeune homme, venait de voir publier son premier livre, alors pensez donc ! Mais au fait : le cher Maître avait-il lu le premier livre du jeune homme ? Non ? Eh bien, le jeune homme allait lui en exposer les grandes lignes...

Le jeune homme exposa, et tandis qu'il exposait, ses nombreuses canines jouaient à cache-cache sous ses lèvres gourmandes, et Vati était bien trop poli pour ne pas faire semblant d'écouter. Anna, qui l'était moins, tourna le dos et s'en alla.

*

Le pique-nique fut tout aussi décevant. Les petits sandwichs n'étaient garnis que de ce qu'il faut être adulte pour aimer, comme les anchois et les olives noires, et d'ailleurs le pain était si rassis que seul le jeune homme au premier livre, pensa Anna, pourrait arriver à les entamer grâce à son arsenal de canines. Comme boisson, il y avait de la bière chaude et gazeuse comme elle la détestait, mais comme Max l'aimait : celui-ci fut donc content. Il avait apporté sa canne à pêche et se fit un plaisir d'aller s'asseoir à l'autre bout de l'île pour pêcher – sans aucun résultat, bien entendu, le pain qu'il utilisait comme appât se révélant trop dur pour les poissons eux-mêmes.

Anna ne savait pas quoi faire. Ils étaient les seuls enfants présents, et après le déjeuner la situation empira, car il y eut des discours. Mutti aurait pu la prévenir qu'il faudrait subir des discours ! Ils durèrent des heures et Anna s'assit misérablement au soleil en attendant qu'ils finissent et en pensant à ce qu'elle aurait été en train de faire à Berlin, s'ils s'y étaient encore trouvés.

Heimpi aurait sûrement fait un gâteau d'anniversaire aux fraises. Elle aurait sûrement organisé une fête avec au moins vingt enfants qui auraient tous apporté un cadeau, et il y aurait eu un goûter avec des bougies sur le gâteau... Anna, perdue dans son rêve de joie berlinoise, ne remarqua même pas que les discours avaient pris fin. Sa mère la rejoignit.

– Viens, nous remontons sur le bateau. (Elle prit un air de conspiratrice.) Passionnants, ces discours, n'est-ce pas ?

Anna ne lui rendit pas son sourire. Mutti pouvait

bien plaisanter, elle dont ce n'était pas l'anniversaire !

De retour à bord, Anna se chercha une place à l'écart sur un côté et y resta, les yeux obstinément fixés sur l'eau. Et voilà ! songeait-elle, tandis que le bateau regagnait Zurich. C'est fini. J'ai eu l'anniversaire de mes dix ans. Et quel anniversaire ! Pas une minute d'amusement au cours de cette journée ! Elle croisa les bras sur le bastingage et y posa son front, comme absorbée dans la contemplation des flots, mais en réalité pour cacher sa tristesse. L'eau filait sous ses yeux et le vent chaud soulevait ses cheveux, et la seule pensée à quoi tout cela aboutissait était que son anniversaire était raté, et qu'il n'y aurait plus jamais rien de bien.

Une main se posa sur son épaule. C'était celle de son père. Remarquait-il sa déception ? Vati ne remarquait en principe jamais ce genre de choses, trop plongé dans ses propres pensées.

– Eh bien, dit-il avec douceur, j'ai donc maintenant une grande fille de dix ans ?

– Oui, fit Anna.

– En réalité, tu ne les as pas encore. Tu es née à six heures du soir. Cela fait encore vingt minutes à attendre.

– Vraiment ? dit Anna. (Pour une raison inconnue, le fait de n'avoir pas encore dix ans la réconfortait.)

– Comme je te le dis ! affirma Vati. Pour moi, tout ça n'est pas si loin... Mais, bien sûr, nous ne pouvions pas savoir en ce temps-là que dix ans après nous devrions commémorer l'événement à bord d'un vapeur sur le lac de Zurich, réfugiés en Suisse à cause de Hitler...

– Un réfugié, c'est quelqu'un qui quitte sa maison pour aller vivre à l'hôtel ? demanda Anna.

– C'est quelqu'un qui cherche refuge dans un pays autre que le sien.

– Je n'arrive pas à me dire que je suis une réfugiée, dit Anna.

– C'est quelque chose d'assez bizarre, comme sensation. Tu vis toute ta vie dans un pays, puis tout à coup il grouille de brigands et tu te retrouves tout seul, et tout nu, sur une terre étrangère...

Vati semblait si guilleret en brossant ce tableau qu'Anna demanda :

– Toi, ça ne te fait rien ?

– Si, bien entendu. Mais je trouve que c'est aussi une expérience intéressante.

Le soleil déclinait dans le ciel. Il commençait à disparaître derrière la pointe des montagnes et la surface du lac s'assombrissait. Les objets, sur le pont du bateau, perdaient leur relief, mais l'espace d'un instant le soleil réapparut entre deux pics, les inondant de ses feux mordorés.

– Je me demande où nous serons le jour de tes onze ans, dit Vati. Quant à celui de tes douze ans...

– Nous ne serons plus ici ?

– Ça m'étonnerait. Si les Suisses ne me publient toujours pas, par crainte des représailles qui pourraient leur venir de l'autre côté de la frontière, il faudra bien partir pour un autre pays. Où aimerais-tu aller ?

– Je ne sais pas.

– Moi, j'aurais une préférence pour la France, dit Vati. (Il médita quelques secondes et demanda :) As-tu déjà été à Paris ?

Anna, jusqu'au jour où elle était devenue une réfugiée, n'avait jamais fait d'autres voyages que pour aller en vacances au bord de la mer. Mais elle ne tint pas rigueur d'une question qui prouvait une fois de plus à quel point il était difficile à Vati de suivre à la fois le cours de ses pensées et de les adapter à son interlocuteur. Elle se contenta de secouer la tête.

– Paris est une belle ville, dit son père. Je suis certain que tu t'y plairais.

– Est-ce qu'on irait dans une école française ?

– Je l'espère, car vous apprendriez le français... Mais on pourrait aller vivre également en Angleterre. L'Angleterre est, elle aussi, un grand pays, quoique un peu humide...

Il regarda Anna d'un air pensif.

– Tout compte fait, je crois que nous essaierons d'abord Paris.

Le soleil avait disparu et le crépuscule ne permettait plus de distinguer grand-chose de l'eau sous leurs yeux, à part le sillon d'écume argentée qu'ouvrait l'étrave du bateau filant à pleine vapeur.

– Ai-je dix ans, maintenant ? demanda Anna.

Son père regarda sa montre.

– Dix ans pile ! Joyeux anniversaire ! s'exclama-t-il en la serrant contre lui. Joyeux anniversaire, et beaucoup d'autres à venir !...

Comme il disait cela, les feux du bateau s'allumèrent. Une guirlande de lampions décorait le pourtour du pont, mais leur lueur blafarde n'éclairait rien. La cabine de pilotage donnait bien plus de clarté et, à la poupe, le fanal fut mis en batterie, teintant les flots d'un rayon bleu électrique.

– C'est beau, fit Anna.

D'une certaine façon elle prit conscience que son anniversaire et le fait qu'elle n'eût pas été très gâtée pour ce qui était des cadeaux passaient au second plan. Une ivresse l'envahissait à l'idée qu'elle était une aventurière, une exilée, et qu'elle n'avait plus ni maison ni destination précise. Avec un peu de chance, cela pourrait lui être compté comme constituant cette fameuse « enfance à la dure » évoquée dans le livre offert par Gunther, et grâce à laquelle on devient célèbre.

Dans le bateau fonçant vers Zurich, le père et la fille restaient enlacés, les yeux perdus dans les reflets bleutés du sillage.

– Je crois que je commence à aimer être une réfugiée, dit Anna.

9

L'été arrivait et soudain ce fut la fin du trimestre. Le dernier jour de classe, il y eut une fête à l'école avec un discours de Herr Graupe, une exposition des travaux de couture des filles et une démonstration de gymnastique par les garçons, le tout assorti de quantité de chansons chantées par tout le monde, surtout des tyroliennes. À la fin des réjouissances, chacun reçut une saucisse dans un morceau de pain et rentra chez soi par les rues du village en riant, la bouche pleine, et en faisant des projets pour le lendemain, premier jour des grandes vacances.

Max, quant à lui, n'en eut fini que deux jours plus tard. Au collège de Zurich, le trimestre ne s'achevait pas en poussant des tyroliennes, mais par un bulletin scolaire. Max rapporta donc sa provision habituelle d'appréciations du genre « refuse tout effort » ou « ne prend aucune part à la classe », ce qui assombrit l'atmosphère du déjeuner. Le frère et la sœur mangeaient en silence pendant que le père et la mère analysaient le bulletin en détail. Mutti surtout se montrait déçue. Max les avait habitués de longue date en Allemagne à son statut de cancre « refusant tout effort » et « ne prenant aucune part à la classe », mais elle avait cru que cela changerait peut-être en Suisse et que Max – sujet intelligent mais paresseux – se réformerait. Hélas, la seule réforme notable venait de ce que Max négligeait son travail non plus, comme en Allemagne, pour jouer au football, mais ici, en Suisse, pour aller à la pêche à la ligne.

Le plus renversant, pensait Anna, c'était qu'il continuait à pêcher sans jamais rien prendre. Cette persistance à revenir bredouille alimentait les plaisanteries des enfants Zwirn. « Alors, encore en train de baigner des asticots ? » demandaient-ils en passant près de Max, qui leur jetait des regards furibonds mais s'abstenait de riposter à haute voix, par crainte de faire fuir un éventuel poisson peut-être sur le point de mordre à l'hameçon.

Quand Max ne pêchait pas, lui, Anna et les enfants Zwirn se baignaient, jouaient ou allaient se promener dans les bois. Max s'entendait bien avec Franz et Anna commençait à apprécier Vreneli. Trudi, qui n'avait que six ans, les suivaient quoi qu'ils fassent. Parfois Roesli se joignait au groupe, et l'on eut même droit, une autre fois, à la compagnie du rouquin, qui prit bien garde de ne s'intéresser ni à Vreneli ni à Anna, mais parla ostensiblement football avec Max.

Un matin, Anna et Max trouvèrent les enfants Zwirn en train de jouer avec un garçon et une fille inconnus. C'était des Allemands, de leur âge environ, venus passer leurs vacances en famille à l'auberge.

– D'où êtes-vous, en Allemagne ? demanda Max.

– De Munich, dit le garçon.

Anna dit qu'eux venaient de Berlin, et le garçon s'écria :

– Berlin, ça doit être merveilleux !

Tous jouèrent à chat. À quatre (Trudi ne comptait pas, car elle était trop lente et pleurait chaque fois qu'on l'attrapait), ça n'avait jamais été bien drôle. Avec les deux nouveaux, qui couraient vite, ça devenait excitant. Vreneli toucha le garçon allemand, lequel toucha aussitôt Anna. C'était donc elle le chat. Elle s'était lancée à la poursuite de la fille, qui s'enfuyait autour de la cour de l'auberge en sautant par-dessus les obstacles, et elle était sur le point de la rattraper, quand tout à coup elle trouva devant elle une haute femme maigre, à la figure revêche, qui avait jailli d'on ne savait où, et si subitement qu'Anna ne put éviter de la heurter violemment.

– Oh, pardon ! fit-elle.

La dame, pour toute réponse, appela d'une voix perçante :

– Siegfried ! Gudrun ! Je vous avais pourtant dit de ne pas jouer avec ces enfants !

Elle attrapa sa fille par le col et la tira vers l'intérieur de l'auberge où elles disparurent, suivies du garçon, qui fit à l'adresse d'Anna une grimace d'excuse accompagnée d'un discret geste de la main.

– Pas aimable, cette bonne femme, dit Vreneli.

– Elle doit nous trouver mal élevés, dit Anna.

Ils reprirent vaguement leur partie de chat, mais sans les deux nouveaux cela ne donnait rien et se termina par la scène habituelle de Trudi en larmes parce qu'elle avait été attrapée.

Les deux Allemands ne réapparurent que tard dans l'après-midi. Sans doute avaient-ils été faire des courses en ville, car ils portaient chacun un paquet et leur mère en portait plusieurs gros. Les voyant sur le point d'entrer, Anna voulut saisir l'occasion de prouver ses bonnes manières et se faufila devant eux pour leur ouvrir la porte.

Cette attention ne parut pas du goût de la dame.

– Siegfried ! Gudrun ! cria-t-elle – et elle poussa fermement ses deux enfants à l'intérieur.

Elle-même, plus raide et hautaine que jamais, s'engagea à leur suite, non sans peine à cause de ses paquets qui restaient coincés, et disparut sans un regard, sans un mot de remerciement.

« Mal élevée toi-même », songea Anna.

Le lendemain, Max et elle partirent en excursion dans les bois avec les enfants Zwirn. Le surlendemain, il plut toute la journée. Le jour d'après, Mutti les emmena acheter des chaussettes à Zurich. Il n'était plus question des deux Allemands. Mais le matin du quatrième jour, Anna et Max les trouvèrent dans la cour après le petit déjeuner, en train de jouer avec les Zwirn. Anna se précipita au milieu d'eux.

– On joue à chat ?

– Non, dit Vreneli en rougissant. Et de toute façon, tu ne dois pas jouer avec nous...

Sous le coup de la surprise, Anna resta muette. Qu'était-il arrivé ? Vreneli faisait-elle une nouvelle crise de jalousie à cause du rouquin ? Elle ne l'avait pas vu depuis des siècles !

– Pourquoi Anna ne peut-elle pas jouer ? demanda Max.

Franz montrait le même embarras que sa sœur.

– Ni elle ni toi, fit-il avec un signe en direction des deux enfants allemands. Ils n'ont pas le droit de jouer avec vous.

Les deux Allemands avaient non seulement l'interdiction de jouer avec Anna et Max, mais aussi celle de leur parler. Le garçon, visiblement, aurait voulu dire quelque chose ; il haussa simplement les épaules, l'air penaud.

Anna et Max se consultèrent du regard. Jamais ils n'avaient connu une situation semblable. Quant à Trudi, sortant de son silence, elle se mit à brailler :

– Anna et Max n'ont plus le droit de jouer ! Anna et Max n'ont plus le droit de jouer !

– Oh, tais-toi ! dit Franz. Allez, venez...

Vreneli et lui partirent en courant vers le lac, suivis des deux Allemands. Trudi, d'abord hésitante, poussa un dernier « Anna et Max n'ont plus le droit de jouer ! » avant de s'enfuir à leur suite de toute la vitesse de ses petites jambes.

Anna et Max restèrent plantés là.

– Et pourquoi n'avons-nous pas le droit de jouer avec eux ?

Max n'aurait pas su le dire. Il n'y avait plus grand-chose d'autre à faire que de rentrer dans la salle à manger, où Vati et Mutti finissaient leur café.

– Eh bien, vous ne jouez pas avec Franz et Vreneli ?

Max expliqua la situation.

– Voilà qui est étrange, dit Mutti.

– Tu devrais peut-être parler à leur mère, dit Anna en montrant la dame allemande assise à une table dans un coin de la salle, en compagnie d'un monsieur qui devait être son mari.

– Tu as raison.

Mutti se leva et aborda le couple juste au moment où il s'apprêtait à quitter les lieux. À cette distance, Anna ne pouvait rien entendre de ce qui se disait, mais elle vit tout à coup sa mère, sur une réponse que venait de lui faire la dame allemande, exploser de colère. La dame allemande faisait mine de vouloir passer son chemin. Mutti la retint par le bras en criant d'une voix terrible :

– Oh non ! Ça ne suffit pas ! Ça ne suffit pas le moins du monde !

Puis, tournant les talons, elle revint à grands pas et se rassit brutalement, tandis que le couple s'en allait, yeux baissés.

– Bravo ! Tout le monde a pu t'entendre ! dit Vati assez durement.

Il détestait les scènes.

– Eh bien, tant mieux ! répliqua Mutti encore plus fort.

Vati fit « chut ! » et leva les deux mains dans un geste d'apaisement. Mais cet appel au calme déchaîna la fureur de Mutti, qui s'écria en hoquetant :

– Ils sont nazis ! Ils ont interdit à leurs enfants de jouer avec des petits Juifs !

Elle écumait de rage, et continua, de plus en plus tonitruante :

– Et tu voudrais que je parle à voix basse !

Une vieille dame, troublée dans son petit déjeuner, sursauta en manquant renverser sa tasse.

La bouche de Vati s'amincit.

– Je ne tolérerais certainement pas que mes enfants jouent avec des petits nazis, donc tout est bien ainsi.

– Mais qu'est-ce qu'on va faire pour Franz et Vreneli ? demanda Max. S'ils jouent avec les enfants allemands, on ne peut plus jouer avec eux.

– C'est à Vreneli et Franz de décider quels sont leurs amis, et on verra. La neutralité suisse est un bien. Il faut seulement souhaiter qu'elle n'aille pas trop loin, dit Vati.

Il se leva et ajouta :

– Maintenant je vais aller dire quelques mots à leur père.

Il revint peu après, ayant demandé à Herr Zwirn que ses enfants choisissent, entre Anna et Max d'une part, les deux Allemands de l'autre, qui ils préféraient garder comme compagnons de jeux, faute de pouvoir conserver tout le monde. Qu'ils réfléchissent, mais qu'ils donnent leur réponse avant le soir.

– C'est sûrement nous qu'ils vont choisir, dit Anna, puisque nous devons rester ici plus longtemps que les deux autres.

Mais que faire en attendant le soir ?

Max descendit au lac avec sa canne à pêche, ses

vers et sa mie de pain. Anna hésitait. Finalement elle décida de composer un poème sur le sujet d'une avalanche qui ensevelissait une ville entière, mais l'inspiration venait mal. Et puis la perspective d'avoir à produire une illustration complètement blanche l'ennuya tellement qu'elle abandonna. Max, bien entendu, ne prit rien, et vers le milieu de l'après-midi ils se trouvèrent tous deux dans un tel état de découragement que leur mère leur donna cinquante centimes à chacun pour qu'ils aillent s'acheter du chocolat, tout en leur disant que cinquante centimes, c'était beaucoup.

En revenant de la confiserie, ils trouvèrent Franz et Vreneli en grand conciliabule devant l'entrée de l'auberge et passèrent, très gênés, regardant droit devant eux. Cette rencontre augmenta leur mélancolie.

Max s'en retourna pêcher et Anna l'accompagna pour se baigner, histoire de sauver quelque chose de cette journée désastreuse. Elle fit la planche, comme elle venait juste de l'apprendre, mais cela ne lui fut pas d'un si grand réconfort. Pourquoi tout le monde ne pouvait-il pas jouer avec tout le monde ? Pourquoi fallait-il qu'il y eût un choix à faire entre les uns et les autres ? Tout cela était idiot.

Soudain il y eut un grand éclaboussement près d'elle. C'était Vreneli qui venait d'entrer dans l'eau, ses nattes relevées sur le sommet de la tête pour ne pas les mouiller, son étroite figure plus rose et plus gênée que jamais.

– Désolée pour ce matin, dit-elle en haletant. Finalement nous avons décidé de jouer avec vous, même si nous devons perdre Siegfried et Gudrun.

Franz apparut à son tour, debout sur la rive.

– Salut, Max ! Les asticots sont contents de leur bain ?

– La ferme ! J'allais juste attraper un énorme poisson, mais tu lui as fait peur !...

*

Au dîner, Anna revit les enfants allemands pour la dernière fois. Ils se tenaient assis tout droits et sans bouger, entre leurs parents. La mère leur parlait doucement mais avec fermeté. Pas une seule fois le garçon ne se retourna vers eux. À la fin du repas, il passa près de leur table en affectant de ne pas les voir. Et la famille plia bagage le lendemain matin.

– J'ai peur que nous n'ayons fait perdre des clients à Herr Zwirn, dit Vati.

Mutti triomphait.

– Moi, je trouve ça dommage, dit Anna. Je suis sûre que le garçon nous aimait bien.

Max secoua la tête.

– Il ne nous aimait plus, à la fin. En tout cas, plus après ce que sa mère lui a dit...

Max a raison, pensa Anna. Et elle se demanda ce que le garçon allemand pouvait penser d'eux à présent, et ce que sa mère avait bien pu lui dire sur elle et Max. Et elle se demanda aussi quelle allure ce garçon pourrait avoir, quand il aurait grandi.

10

À la fin des vacances, Vati se rendit à Paris. Là-bas vivaient un si grand nombre de réfugiés allemands qu'ils avaient créé leur propre journal, *Le Parisien quotidien*, lequel avait publié quelques-uns des articles que Vati avait écrits à Zurich. Le comité de rédaction désirait s'assurer sa collaboration sur une base plus régulière, et Vati pensait que si l'affaire se concluait, ils pourraient aller vivre à Paris.

Le lendemain de son départ, Omama arriva. Omama, c'était la grand-mère des enfants. Elle venait leur rendre visite du Midi de la France, où elle s'était installée.

– Si ça se trouve, dit Anna, elle et papa se sont croisés en train, et ils ont pu se faire des signes.

– Ça m'étonnerait qu'ils se soient fait des signes, dit Max. Ils ne s'entendent pas assez bien.

Anna prit conscience qu'effectivement Omama ne venait les voir que lorsque Vati s'absentait.

– Et pourquoi ?

– Histoires de famille, répondit Max avec un air supérieur. Il paraît qu'Omama était contre le mariage de papa et maman...

Anna se mit à rire.

– Eh bien, maintenant, c'est trop tard !

Anna était en train de jouer dehors avec Vreneli, mais elle fut tout de suite avertie de l'arrivée d'Omama par un aboiement d'enfer qui lui parvint d'une fenêtre ouverte : Omama ne se séparait jamais de son basset Pumpel. Elle n'eut pour ainsi dire qu'à remonter le vacarme pour trouver sa grand-mère.

– Anna chérie ! Quel plaisir de te voir ! s'écria Omama en la serrant sur sa forte poitrine.

Au bout d'un moment, Anna considéra que les embrassades devaient prendre fin. Elle se tortilla pour le signifier. Mais Omama tenait bon et même serra de plus belle : c'était sa façon de dire bonjour.

– Comme ça fait longtemps ! dit Omama. Cet homme horrible... Hitler !...

Ses yeux, du même bleu que ceux de Mutti mais plus clair encore, s'emplirent de larmes et ses mentons – il y en avait deux – frémirent. Elle ajouta quelques mots que couvrirent les aboiements de Pumpel, mais parmi lesquels on démêla les expressions : « arrachés de nos foyers » et « brisant la vie de famille ».

– Qu'est-ce qui lui prend, à Pumpel ? demanda Anna.

– Oh, mon pauvre Pumpel ! Il suffit de le regarder !...

Pumpel, dressé sur son arrière-train dans une attitude implorante, pointait son museau vers quelque chose qui se trouvait au-dessus du lavabo. Cette position représentait pour lui – vu son tour de taille, qui n'avait rien à envier à celui de sa maîtresse – un véritable exploit sportif.

– Qu'est-ce qu'il veut ?

– Il mendie ! dit Omama. N'est-ce pas mignon ? Il mendie pour avoir l'ampoule électrique !... Ah, mais ! Pumpel... Mon Pumpel en sucre ! Je ne te la donnerai pas !...

Anna regarda l'ampoule au-dessus du lavabo. C'était une ampoule blanche, des plus ordinaires. Il semblait hors de proportion qu'on fît un tel raffut à son sujet.

– Qu'est-ce qu'il lui trouve, à cette ampoule ?

– Eh bien, voilà, expliqua Omama. Il ne comprend pas que c'est une ampoule électrique. Il croit que c'est une balle de tennis et il veut que je la lui lance...

Pumpel, sentant qu'on examinait sa requête, aboya encore plus fort et salua de la tête. Anna se mit à rire.

– Pauvre Pumpel !

Elle essaya de le caresser, mais il lui attrapa immédiatement la main de ses crocs jaunes et elle la retira précipitamment.

– Essayons de dévisser l'ampoule, proposa Mutti.

Mais l'ampoule tenait trop solidement à la douille.

– Peut-être que si on trouvait une vraie balle de tennis... fit Omama en cherchant son porte-monnaie. Anna chérie, tu ferais ça pour moi ? Les magasins doivent être encore ouverts.

– Les balles de tennis coûtent plutôt cher, dit Anna, qui avait déjà voulu en acheter une boîte mais n'avait pu rassembler suffisamment d'argent de poche.

– Tant pis ! On ne peut pas laisser mon pauvre Pumpel comme ça. Il risquerait de s'épuiser...

Quand Anna revint, Pumpel s'était totalement désintéressé de l'ampoule. Il était couché et grognonnait. Anna plaça délicatement une balle entre ses pattes. Il la regarda avec mépris et y planta les dents. Elle se dégonfla en émettant un léger soupir.

Pumpel se leva, gratta le sol par deux fois de ses pattes de derrière et alla se cacher sous le lit.

*

– C'est vraiment une sale bête, dit Anna. À la place d'Omama, je ne le supporterais pas...

– Si seulement on avait assez d'argent pour acheter des balles de tennis, répondit Max, on pourrait s'en servir à la foire.

Une fête foraine allait se tenir au village. Cet événement annuel mettait tous les enfants du coin dans des transes d'excitation. Franz et Vreneli économisaient leur argent de poche depuis des mois. Anna et Max, qui venaient tout juste d'entendre parler de cette fête foraine, n'avaient rien économisé et se demandaient comment faire pour y aller. Toutes leurs richesses rassemblées ne leur permettraient guère que de faire un tour de manège – et ça, disait Anna, ce serait encore pire que de ne pas y aller du tout.

Elle avait bien pensé demander de l'argent à leur mère au soir du premier jour de la rentrée, qui s'était passé à l'école à ne parler que de la fête foraine et de la somme que chacun pourrait y dépenser. Mais Max lui avait rappelé que Mutti elle-même faisait des économies : s'il fallait déménager pour Paris, on aurait besoin du moindre centime.

Cependant Pumpel continuait à faire des siennes d'une façon pas tellement sympathique. Il était bête comme ses pieds, Omama elle-même était forcée de l'admettre. La fois où elle l'emmena sur le bateau à vapeur, il se précipita vers le bord et seule son impotence l'empêcha de sauter à l'eau. Quand elle voulut le faire monter dans le train pour aller à Zurich, il refusa, mais dès que le train s'ébranla, il échappa à sa maîtresse et courut après les wagons en aboyant comme un fou sans s'arrêter jusqu'à la station suivante. Un petit garçon le ramena une heure plus tard, épuisé, et il passa le restant du jour à dormir.

– Crois-tu qu'il ait une mauvaise vue ? demanda Omama.

– Absurde, mère ! répondit Mutti, qui avait d'autres soucis en tête avec la perspective du départ pour Paris et le manque d'argent. Et quand bien même il aurait de mauvais yeux, tu ne vas pas lui acheter une paire de lunettes !

Le ton était un peu dur pour la pauvre Omama, qui, malgré ses façons énervantes quand il s'agissait de Pumpel, débordait de gentillesse. Elle aussi avait fui l'Allemagne, mais avec cette différence que son mari à elle n'était pas célèbre comme Vati, et qu'elle avait donc pu emporter tous ses biens. Elle menait une existence confortable et relativement dispendieuse au bord de la Méditerranée, dans l'ignorance complète du genre de restrictions que s'imposait Mutti.

– Et si on demandait à Omama de nous donner de l'argent pour la foire ? suggéra Anna un jour où leur grand-mère leur avait offert des éclairs au chocolat achetés à la pâtisserie locale.

– Anna, tu es folle ! répliqua Max sèchement.

Anna savait bien que c'était impossible – mais c'était si tentant ! La foire s'ouvrait la semaine suivante.

Quelques jours avant qu'Omama ne reparte pour le Midi de la France, Pumpel disparut. Il avait filé de la chambre à la première heure de la matinée, sans qu'on s'en aperçût. D'habitude, quand il allait courir au bord du lac, il rentrait de lui-même assez vite. Mais là, le petit déjeuner s'achevait et il n'avait toujours pas reparu. Omama commençait à s'inquiéter et à questionner les uns et les autres.

– Qui sait où il sera encore allé traîner... dit Herr Zwirn.

Il n'aimait pas Pumpel, qui aboyait après ses clients, se faisait les crocs sur les meubles et avait voulu mordre Trudi à deux reprises.

– Il y a des jours où il se conduit encore comme un chiot, s'attendrissait Omama. (Pumpel avait atteint l'âge respectable de neuf ans.)

– C'est ça, il retombe en enfance... dit Herr Zwirn.

Les enfants partirent à sa recherche, mais sans grande conviction, car c'était bientôt l'heure d'aller à l'école et aussi parce qu'il ne faisait aucun doute que Pumpel allait revenir, probablement ramené par une personne furieuse dont il aurait mordu la jambe ou saccagé les plates-bandes. Aussi Anna se mit-elle en chemin pour l'école avec Vreneli l'esprit serein.

Au retour, à l'heure du déjeuner, Trudi les accueillit avec un air dramatique.

– On a retrouvé le chien de ta grand-mère, dit-elle. Il s'est noyé.

– Ne dis pas n'importe quoi, dit Vreneli. Tu inventes.

– Je n'invente pas, dit Trudi vexée. C'est la vérité. Papa l'a tiré du lac et je l'ai vu, il est tout à fait mort. La preuve, c'est qu'il n'a pas essayé de me mordre.

Mutti confirma la version de Trudi. Pumpel avait été retrouvé au bas d'une jetée au bout du lac. On ne comprenait pas comment il avait fait. Avait-il glissé en faisant des acrobaties ? Avait-il pris un des galets dans l'eau pour une balle de tennis ? Herr Zwirn insinuait qu'il avait pu mettre volontairement fin à ses jours.

– J'ai entendu parler de chiens qui se suicident, quand ils ne donnent rien de bon pour eux-mêmes ni pour autrui...

La pauvre Omama était effondrée. Elle ne descendit pas déjeuner et n'apparut, les yeux rougis, muette, que pour l'enterrement du défunt, qui eut lieu dans l'après-midi. Herr Zwirn avait creusé un trou dans le fond du jardin et Omama y déposa Pumpel enveloppé dans un châle. Les enfants au complet assistèrent à la cérémonie. Sous la direction d'Omama, chacun lança une pelletée de terre sur la dépouille.

Herr Zwirn jeta pour finir une pelletée beaucoup

plus grosse et tassa l'ensemble pour lui donner l'allure d'une tombe.

– Maintenant, des fleurs, dit-il.

Omama disposa en pleurant un pot contenant un chrysanthème.

Trudi approuva hautement :

– Très bien. Comme ça votre petit chien ne pourra plus bouger.

C'en était trop pour Omama, qui éclata en sanglots. Herr Zwirn dut lui donner le bras et la reconduire, tandis que chacun avalait sa salive.

La suite de la journée fut morne. Personne, à vrai dire, ne regrettait Pumpel, mais tout le monde avait à cœur de respecter la douleur d'Omama et de lui épargner toute manifestation de gaieté. Après le dîner, Max fit ses devoirs pendant qu'Anna et sa mère tenaient compagnie à Omama, c'est-à-dire l'écoutaient. Omama, qui n'avait pas proféré une parole jusqu'au soir, semblait soudain vouloir rattraper son retard. Elle parlait inlassablement de Pumpel, faisant l'inventaire de ses exploits. Comment trouverait-elle la force de rentrer sans lui dans le Midi de la France ? Il avait été un si bon compagnon de voyage à l'aller ! Elle avait même son ticket de retour (Mutti et Anna durent le regarder). Il était mort par la faute des nazis ! reprenait Omama. Si elle n'avait pas dû quitter l'Allemagne, il ne se serait pas noyé dans le lac de Zurich. Ah, cet homme affreux, ce monstre... Hitler !...

Mutti détourna habilement la conversation sur le sujet de toutes les relations d'Omama qui avaient dû s'exiler dans différents pays, et sur les autres, qui étaient restées en Allemagne.

Anna avait commencé à lire, mais elle ne parvenait pas à se concentrer sur sa lecture, qui ne la passionnait pas, et suivait l'énumération d'une oreille distraite. L'un avait trouvé du travail dans l'industrie du cinéma en Angleterre. Un autre était tombé dans une misère noire et sa femme devait faire des ménages. Un célèbre professeur avait été arrêté et envoyé dans un camp de concentration. (*Camp de concentration* ? Anna se souvint que c'était une espèce de prison spéciale pour les opposants à Hitler.) Les nazis avaient enchaîné ce professeur à une niche à chien. (*Quelle idée !* se dit Anna, tandis qu'Omama, que le mot « chien » avait remise au désespoir, accélérait le débit.) La niche se trouvait juste à l'entrée du camp de concentration et le célèbre professeur devait aboyer chaque fois que quelqu'un entrait ou sortait. On lui servait des restes dans une écuelle et il n'avait pas le droit d'utiliser ses mains pour manger.

Le cœur d'Anna se serra.

La nuit, le célèbre professeur dormait dans la niche, où il ne pouvait pas se tenir debout, la chaîne étant trop courte. Au bout de deux mois de ce régime (*Deux mois !* se dit Anna), il était devenu fou : il aboyait sans cesse, toujours au bout de sa chaîne. Il ne savait plus ce qu'il faisait...

Un grand pan de mur noir se dressa soudain devant Anna. Le souffle coupé, elle empoigna son livre et le tint devant elle comme pour se prouver qu'elle lisait. Elle aurait tant voulu ne jamais entendre ce qu'Omama venait de raconter !

Mutti s'était aperçue du trouble de sa fille et la fixait des yeux. Omama s'arrêta de parler. Anna regardait obstinément son livre et tourna même une page, pour faire plus vrai. Surtout, surtout, qu'on ne lui adresse pas la parole !

La conversation reprit. Cette fois c'est Mutti qui évoqua longuement non plus les camps de concentration, mais le froid qui avait sévi tout l'hiver.

– Ce livre a l'air de te plaire, ma chérie, dit tout à coup Omama.

– Oui, dit Anna de sa voix la plus neutre possible.

Elle se leva pour aller se coucher. Un instant elle songea qu'il fallait raconter à Max ce qu'elle venait d'entendre – mais la force lui manquait. Mieux valait ne plus y penser.

Elle décida qu'à partir de ce soir elle essaierait de ne plus jamais penser à rien de ce qui concernait l'Allemagne.

*

Le lendemain matin, Omama fit ses valises. Elle n'avait plus le courage de rester maintenant que Pumpel l'avait quittée. C'est alors qu'on recueillit les fruits de leur séjour à tous deux. Juste avant le départ, Omama tendit une enveloppe à Max et à Anna, sur laquelle était écrit : « Cadeau de la part de Pumpel ».

L'enveloppe contenait un peu plus de onze francs suisses.

– Je veux que vous dépensiez cet argent pour ce qui vous fera le plus plaisir, dit Omama.

– D'où vient-il vraiment ? demanda Max, ému de cette générosité.

– C'est le prix du billet de retour de Pumpel, que je me suis fait rembourser.

Omama pleurait. Mais Anna et Max avaient maintenant assez d'argent pour aller à la fête foraine.

11

Vati revint de Paris un dimanche, ce qui permit aux enfants d'aller le chercher à Zurich avec leur mère. C'était une journée douce et ensoleillée du début d'octobre et au retour, sur le bateau à vapeur, ils virent de la neige fraîche sur les montagnes. Vati était très gai. Paris lui avait beaucoup plu. Il avait logé dans un petit hôtel le moins cher possible, néanmoins il avait mangé des tas de choses délicieuses et bu des vins exquis, tout cela n'entraînant pas grande dépense en France. Au *Parisien quotidien* on l'avait très bien reçu et Vati avait même pris quelques contacts avec des journaux français qui s'étaient déclarés prêts à le publier.

– Tu écrirais en français ? demanda Anna.

– Bien sûr.

Vati avait eu dans son enfance une gouvernante française et il maniait le français aussi bien que l'allemand.

– Alors on va vivre à Paris ? demanda Max.

– Votre mère et moi devons en discuter.

– Ce serait formidable ! dit Anna.

– Rien n'est encore décidé, dit Mutti. Il se pourrait aussi qu'on aille s'installer à Londres.

– C'est plein de brume, là-bas ! fit Anna.

– Je t'en prie, dit Mutti avec humeur, ne parle pas de ce que tu ne connais pas !

Mutti ne baragouinait que trois mots de français. Sa gouvernante à elle avait été anglaise, et si gentille que Mutti avait toujours rêvé de visiter l'Angleterre.

– Tout cela mérite réflexion, dit Vati.

Il parla des rencontres qu'il avait faites, de toutes ses vieilles connaissances de Berlin, écrivains renommés, hommes de science ou de théâtre, musiciens, etc., exilés en France et qui tâchaient d'y gagner leur pain.

– Un matin je suis tombé sur ce comédien, tu sais... Blumenthal... Tu vois de qui je veux parler ? Eh bien ! il a ouvert une pâtisserie. Sa femme fait les gâteaux, et lui les sert au comptoir. Je l'ai surpris en train de vendre un strudel aux pommes à une cliente... La dernière fois que je l'avais vu (Vati sourit d'un air fataliste), c'était au banquet de l'Opéra de Berlin, dont il était l'invité d'honneur...

À part ça, Vati s'était lié d'amitié avec un journaliste français et sa femme, qui l'avaient reçu plusieurs fois chez eux.

– Des gens charmants ! Ils ont une fille à peu

près de l'âge d'Anna. Si nous allons vivre à Paris, je suis sûr que vous sympathiserez...

– Ah bon, fit Mutti.

*

Deux semaines durant, on pesa le pour et le contre. Vati voyait de bonnes possibilités de travail pour lui à Paris, et faisait valoir le vin et la nourriture. Mutti opposait toutes sortes de considérations d'ordre pratique telles que les études des enfants ou la difficulté de se loger, à quoi Vati n'avait guère réfléchi. Finalement ils tombèrent d'accord sur le projet d'une petite expédition tous les deux ensemble là-bas, afin que Mutti se rendît compte par elle-même. Après tout, la décision était de taille !

– Et nous, alors ? protesta Max.

Anna et lui se tenaient côte à côte assis sur le lit dans la chambre de leurs parents, où ils avaient été convoqués pour assister au débat. Mutti occupait la seule chaise, tandis que Vati s'était juché sur le sommet d'une malle, comme un farfadet sur une souche. Ce n'était pas le grand confort, mais on était plus tranquille qu'en bas !

– Je pense que vous êtes assez grands pour vous débrouiller, dit Mutti.

– Tu veux dire qu'on resterait ici tout seuls ? dit Anna.

L'idée lui semblait extravagante.

– Pourquoi pas ? Frau Zwirn gardera un œil sur vous pour que vous ne manquiez pas de linge propre et que vous vous couchiez à des heures raisonnables. Quant au reste, je vous fais confiance.

C'était donc arrangé ! Anna et Max devraient simplement envoyer tous les deux jours une carte postale pour dire si tout allait bien, et les parents feraient de même en retour. Mutti rappela la consigne de se laver le cou et de changer de chaussettes, mais Vati avait quelque chose de plus sérieux à ajouter.

– Rappelez-vous que quand nous serons à Paris vous deux serez ici, en Suisse, les seuls représentants de notre famille. C'est une responsabilité.

– Qu'est-ce qu'il faudra qu'on fasse ?

Anna se souvenait qu'une fois, au zoo de Berlin avec oncle Julius, elle avait vu une sorte de rat qu'une notice au bas de sa cage présentait comme « l'unique représentant de son espèce en Allemagne ». Elle se prit à espérer que personne ne vînt les regarder sous le nez, Max et elle, comme des bêtes curieuses.

Vati précisa sa pensée.

– Il y a des Juifs éparpillés dans le monde entier, et les nazis font courir sur eux des bruits infâmes...

Il faut donc absolument que nous prouvions par notre conduite que ces bruits sont mensongers.

– Comment y arriverons-nous ? demanda Max.

– En étant meilleurs que les autres. Par exemple, les nazis disent que les Juifs sont des voleurs : il ne suffit donc pas que nous soyons aussi honnêtes que les autres, nous devons l'être plus.

Anna sentit une grande honte l'envahir. La dernière fois qu'elle avait acheté un stylo à Berlin, le papetier s'était trompé en lui rendant la monnaie et elle avait omis de lui signaler son erreur. Et si les nazis avaient entendu parler de cette malhonnêteté ?

– Nous devons travailler plus que les autres, continuait Vati, pour prouver que nous ne sommes pas paresseux. Nous devons être plus généreux, pour prouver que nous ne sommes pas radins. Et plus polis, pour démontrer que nous ne sommes pas des voyous. (Max fit un signe d'acquiescement.) Cela peut paraître beaucoup demander, mais le jeu en vaut la chandelle. Les Juifs sont des gens merveilleux et c'est un honneur d'en être un. À notre retour, je suis sûr que votre mère et moi n'aurons qu'à nous féliciter de la façon dont vous vous serez conduits en notre absence...

C'est drôle, pensait Anna, d'habitude, c'est énervant qu'on vous fasse des recommandations, mais là, ça ne l'ennuyait pas. Elle n'avait jamais pris conscience qu'être juif fût d'une telle importance. Elle se jura de se laver le cou au savon chaque jour durant tout le voyage de ses parents, afin que les nazis ne puissent pas prétendre que les Juifs avaient le cou sale.

Malgré tout, au moment de se quitter, la chance qu'il y a d'être juif ne parut plus si évidente à Anna, qui commença à se sentir plutôt petite et abandonnée. Elle réussit à contenir ses larmes jusqu'à ce que le train qui emportait ses parents fût sorti de la gare, mais sur le chemin du retour avec Max, vers l'auberge, elle comprit qu'elle était un peu jeune pour rester dans un pays tandis que ses parents s'éloignaient vers un autre.

– Allez, courage, petit bonhomme ! lui dit soudain Max pour la consoler.

C'était drôle, d'être appelée « petit bonhomme » ! C'est ainsi que les gens appelaient Max lui-même, de temps en temps. Anna éclata de rire au milieu de ses larmes.

La journée se poursuivit de façon acceptable. Frau Zwirn leur avait préparé leur menu préféré, et c'était assez grisant de se faire servir à une table tout seuls dans la salle à manger. Vreneli vint chercher Anna pour aller à l'école, après le déjeuner. Au retour de l'école tout le monde joua ensemble comme d'habitude. L'heure d'aller au lit, redoutée par Anna, fut au contraire un enchantement, car

Herr Zwirn vint leur raconter des anecdotes sur les clients de l'auberge. Le lendemain, ils expédièrent une carte postale relativement joyeuse à destination de Paris, d'où il leur en arriva une autre, signée de Vati et Mutti, le surlendemain.

Le temps passait plutôt vite. Les cartes postales étaient d'un grand réconfort. Grâce à elles, Vati et Mutti ne paraissaient pas si loin. Le dimanche, Anna et Max partirent dans les bois avec les petits Zwirn pour ramasser des châtaignes. Ils en rapportèrent un plein panier que Frau Zwirn mit à griller au four. Ils les mangèrent pour le dîner dans la cuisine, avec du pain et du beurre. C'était vraiment bon.

*

À la fin de la deuxième semaine, Herr Graupe emmena la classe d'Anna en excursion dans la montagne. Ils passèrent la nuit en altitude, couchés sur de la paille dans un refuge en rondins. Herr Graupe les réveilla avant le lever du soleil, et ils se mirent en marche dans le noir sur un sentier qui montait. Soudain Anna sentit le sol sous ses pieds devenir froid et mouillé.

– Vreneli, regarde ! s'écria-t-elle. De la neige !

Tout le monde regarda la neige, qui était en train de passer du gris foncé nocturne au rose brillant de l'aube. Ce changement de couleur s'opérait rapidement et tout à coup la montagne entière fut habillée de rose.

Le chandail bleu de Vreneli vira au pourpre, son visage s'alluma de reflets écarlates et même ses nattes gris souris prirent une teinte orange. Toute la classe subissait le même phénomène d'enluminure. La barbe de Herr Graupe semblait un flot de pivoines. Sous leurs pieds s'étendait un océan de rose coiffé d'un ciel à peine plus pâle. Peu à peu la lumière s'intensifia, et l'univers rose se divisa en un ciel bleu et de la neige d'une blancheur aveuglante. Et ce fut le jour.

– Vous venez d'assister au lever du soleil sur la montagne suisse, c'est-à-dire au plus beau spectacle du monde, annonça Herr Graupe avec la fierté de quelqu'un qui en aurait été le machiniste appointé. Maintenant, nous pouvons redescendre !

La marche de retour fut longue et dure. Dans le train, Anna s'endormit. À son réveil, elle souhaita que ses parents ne restent plus trop longtemps à Paris. Elle aurait tant aimé pouvoir leur raconter son excursion ! Mais peut-être y aurait-il bientôt des nouvelles de leur retour. Mutti avait promis qu'ils seraient revenus avant trois semaines ; or ça faisait plus de deux semaines qu'ils étaient partis.

Anna et Vreneli ne furent à l'auberge que le soir. Max avait entrepris la rédaction de la carte postale quotidienne. Anna y glissa quelques commentaires sur son excursion, puis, fatiguée, elle alla se coucher, bien qu'il ne fût que sept heures.

En montant, elle tomba sur Franz et Vreneli qui chuchotaient dans le couloir. Ils s'arrêtèrent net en la voyant.

– Qu'est-ce que vous étiez en train de comploter ?

– Rien, dit Vreneli.

– J'ai entendu que vous parliez de mon père et de quelque chose à propos des nazis...

– Papa nous a défendu de le dire, fit Vreneli avec un air piteux.

– Il pense que ça va vous embêter, ajouta Franz. Mais c'était dans le journal. Les nazis ont mis à prix la tête de votre père...

– La tête de notre père, à prix ?

– Oui. Mille Marks allemands ! Et papa dit que ça montre bien à quel point votre père doit être quelqu'un d'important. Dans le journal, il y a sa photo, et tout ça...

La tête de quelqu'un, mille Marks ! Qu'est-ce que c'était que cette histoire de fous ? Anna décida qu'elle en parlerait à Max quand il monterait se coucher, mais elle s'endormit avant qu'il la rejoignît.

Elle se réveilla au milieu de la nuit, comme si soudain quelque chose s'était allumé dans son cerveau : toute envie de dormir envolée, elle comprit avec une netteté atroce ce que ça devait être que d'avoir sa tête *mise à prix* pour mille Marks. Elle voyait une chambre, une drôle de chambre en France, au plafond soutenu par des poutres, et dans les intervalles entre les poutres il y avait des formes qui bougeaient, mais il faisait trop noir pour qu'on distinguât de quoi il s'agissait...

Tout à coup la porte s'ouvrait et la lumière s'allumait. C'était Vati qui venait se coucher. Il entrait dans la chambre et Anna lui criait : « Arrête ! », mais trop tard ! Une avalanche de pièces de monnaie dégringolait du plafond sur la tête de Vati, avec un bruit terrible. Il se mettait à hurler, mais les pièces continuaient à pleuvoir...

Il tombait à genoux sous leur poids ; et elles pleuvaient toujours ; et bientôt il était complètement enseveli sous leur masse pesante et sonnante...

C'était donc ça, que Herr Zwirn avait ordonné qu'on leur cachât ! Voilà le sort que les nazis réservaient à Vati – ou peut-être même le lui avaient-ils déjà fait subir, puisque c'était dans le journal ! Couchée dans la nuit, malade de peur, Anna pouvait entendre la respiration de Max qui dormait paisiblement dans l'autre lit. Fallait-il le réveiller pour le prévenir ? Max avait horreur qu'on le secoue en pleine nuit. Ça ne servirait qu'à le mettre en fureur et il dirait que tout cela n'était que des bêtises. Et peut-être que c'en était, après tout, songea Anna avec espoir. Peut-être que demain matin elle considérerait ces visions de cauchemar enfuies avec le même soulagement, la même tranquillité d'esprit qu'elle le faisait au réveil de ces terreurs nocturnes auxquelles elle était sujette, jadis, quand elle était petite. Comme la fois où elle avait cru que la maison était en feu, ou celle où elle avait eu l'impression que son cœur s'arrêtait de battre...

Demain matin, il y aurait la carte postale de Mutti et Vati, et tout irait bien.

Oui. Mais en attendant, elle n'avait rien inventé. C'était dans le journal. Anna réfléchissait, comme happée par une spirale d'inquiétude. Elle se mit à échafauder un plan compliqué selon lequel elle se levait, quittait l'auberge, allait prendre le train à Zurich et se rendait à Paris pour prévenir ses parents. Aussitôt elle y renonça : ce serait trop ridicule de se faire rattraper devant la gare par Frau Zwirn ! Enfin elle dut s'endormir, puisque soudain il fit jour et que Max était debout, déjà à moitié habillé. Anna resta au lit, fatiguée, repassant dans sa tête le film de la nuit, dont le déroulement semblait à présent beaucoup plus anodin.

– Max ?

Il était en train de mettre ses chaussures, sans quitter des yeux un livre de classe ouvert devant lui sur la table.

– Désolé, dit-il, j'ai composition de latin aujourd'hui et je n'ai encore rien révisé.

Il se replongea dans son livre, d'où sortit une psalmodie de déclinaisons et de conjugaisons.

Pas d'importance, se dit Anna. Tout allait bien.

Mais au petit déjeuner, pas de carte postale.

– Simple retard de courrier, décréta Max, la bouche pleine. Salut !

Il se précipita pour attraper son train.

– Elle arrivera sûrement cet après-midi, dit Herr Zwirn.

Anna restait inquiète. À l'école, elle mâchonna son stylo au lieu de composer une description du lever du soleil sur la montagne suisse.

– Eh bien, qu'est-ce qui t'arrive ? s'enquit Herr Graupe, dont elle était la meilleure élève en rédaction. Rappelle-toi comme c'était beau ! Ce sujet devrait t'inspirer.

Il s'éloigna, un peu piqué d'un tel manque d'enthousiasme sur un thème qui lui était si cher.

Il n'y avait toujours pas de carte postale quand Anna rentra de l'école – non plus qu'à la dernière distribution de sept heures. C'était la première fois que Vati et Mutti oubliaient de se manifester. Anna trompa son malaise durant le dîner en pensant à des explications rassurantes telles que le « retard du courrier », mais une fois au lit et la lumière éteinte, toutes les terreurs de la nuit précédente la reprirent, avec une telle violence qu'elle en suffoquait presque. Elle avait beau se dire qu'elle était juive et qu'une Juive ne doit pas avoir peur (sous peine d'entendre les nazis raconter que les Juifs sont des peureux), les visions revenaient de l'étrange plafond dans la chambre française, avec la terrible pluie de Marks se déversant sur la tête de Vati. Les yeux fermés et la tête sous l'oreiller, Anna continuait à la voir.

Elle avait dû faire du bruit dans son lit, car Max demanda soudain :

– Qu'est-ce qui se passe ?

– Rien, dit Anna – mais à peine avait-elle prononcé ce « rien » que quelque chose se déchira entre son estomac et sa gorge, et qu'elle éclata en sanglots.

– Espèce d'idiote ! dit Max quand elle lui eut expliqué ses angoisses. Tu ne sais donc pas ce que veut dire « mettre la tête de quelqu'un à prix » ?

– Ce n'est pas ce que je crois ?

– Pas du tout ! Mettre la tête de quelqu'un à prix, ça veut dire qu'on offre une récompense à ceux qui l'attraperont.

– C'est ça, gémit Anna. Les nazis essaient d'attraper papa !...

– D'une certaine façon, oui, admit Max. Mais Herr Zwirn n'a pas l'air de prendre ça trop au sérieux. Papa n'étant pas en Allemagne, ils ne peuvent pas grand-chose contre lui.

– Tu crois qu'il va bien ?

– J'en suis sûr, et nous aurons une carte postale demain.

– Mais suppose qu'ils aient envoyé quelqu'un à la poursuite de papa en France, un kidnappeur ou quelque chose comme ça ?

– Alors papa aurait toute la police française pour le protéger.

Max prit ce qu'il imaginait être l'accent français et ajouta :

– *Allez-fous-zen, z'il fous plaît, les enlèfements sont inderdits en France ! Sinon nous fous gouperons la tête avec notre killotine, non ?*

L'imitation était tellement lamentable qu'Anna se mit à rire, et Max s'étonna de son succès.

– Mieux vaut dormir maintenant, conclut-il.

Anna ne se le fit pas dire deux fois.

Le lendemain ils reçurent non pas une carte postale, mais une longue lettre, dans laquelle leurs parents annonçaient que la décision était prise : ils s'installaient à Paris. Vati allait venir les chercher.

*

– Papa, dit Anna une fois l'excitation et la joie des retrouvailles suffisamment retombées, papa, j'ai été très embêtée en apprenant que ta tête était mise à prix...

– Pas tant que moi, dit Vati.

– Tu es inquiet aussi ? Toi qui n'as jamais peur de rien ?

– C'est le prix qui me chiffonne, dit Vati. Mille Marks, de nos jours, c'est une misère. Je reste persuadé que je vaux beaucoup plus que ça. Tu ne crois pas ?

– Oh si, dit Anna soulagée.

– Aucun kidnappeur digne de ce nom ne marchera pour mille Marks. (Vati secoua la tête.) J'ai bien envie d'écrire à Hitler pour me plaindre !

12

Frau Zwirn fit les valises des enfants. Ils avaient dit adieu à tout le monde à l'école. On se trouvait prêt pour aller vivre une nouvelle vie en France. Mais quitter la Suisse n'était pas du tout, selon Anna, comme quitter Berlin : ici on pourrait revenir quand on voudrait pour voir tout le monde à l'*Hôtel Zwirn*, et du reste Herr Zwirn avait déjà lancé une invitation pour l'été prochain.

Ils devaient s'installer à Paris dans un appartement meublé que Mutti se trouvait en train d'aménager pour les accueillir. Comment était-il ? Max voulait le savoir. Vati réfléchit longuement. Du balcon, finit-il par dire, on voyait à la fois la tour Eiffel et l'Arc de triomphe, et c'était là deux célèbres points de repère dans Paris ! Mais à part ça, Vati se montra incapable de se souvenir de quoi que ce fût digne d'être signalé. Dommage, pensèrent les enfants, que papa soit toujours si vague sur tous les sujets de la vie pratique. Mais le fait que cet appartement eût un balcon était un plus.

Le voyage dura une journée et ils faillirent bien ne jamais arriver. Tout se passa sans encombre jusqu'à Bâle, mais là il fallait changer de train, Bâle étant aux frontières entre la Suisse, la France et l'Allemagne. Leur train avait du retard et ils ne disposaient que de quelques minutes pour attraper la correspondance pour Paris.

– Dépêchons-nous, dit Vati en sautant du wagon.

Par chance un porteur se trouvait là. Vati jeta leurs bagages sur son chariot en criant :

– Le train pour Paris, vite !

Le porteur partit au galop, eux sur ses talons, zigzaguant à travers la foule. Anna se laissa distancer. Elle ne rattrapa Max et son père qu'au moment où ils aidaient le porteur à hisser les valises à bord du compartiment. Elle se tint un moment sur le quai, cherchant son souffle. Le train allait partir. Les voyageurs se penchaient aux fenêtres pour embrasser des personnes venues les accompagner. Un jeune homme donnait à ce qui devait être sa fiancée un baiser d'adieu si ardent qu'il faillit en tomber sur le quai.

– Ça suffit, dit la jeune femme en le repoussant avec tendresse.

En relevant le buste, le jeune homme dégagea la vue de la plaque qui se trouvait fixée sous la fenêtre. Il y était écrit : « Stuttgart ».

– Papa ! hurla Anna. Ce n'est pas le bon train ! Celui-ci va en Allemagne !

– Bon Dieu ! dit Vati. Sortez les bagages !

Max et lui commencèrent à descendre les valises, mais un coup de sifflet retentit.

– Tant pis ! cria Vati en retenant Max qui s'élançait pour attraper la dernière valise.

– C'est notre valise ! hurla Max. S'il vous plaît, rendez-nous notre valise !

Comme le train s'ébranlait, le jeune fiancé se saisit de la valise et l'envoya sur le quai. Elle atterrit aux pieds d'Anna. Ils restèrent là, au milieu de leurs bagages éparpillés, tandis que le train s'éloignait.

– Je vous avais pourtant dit : le train pour Paris ! gronda Vati en se retournant vers le porteur.

Mais il n'y avait plus de porteur. Il avait disparu.

– Si nous étions restés dans ce train, aurions-nous pu descendre avant qu'il arrive en Allemagne ? demanda Anna.

– Sans doute, dit Vati, mais encore fallait-il qu'on s'aperçoive que ce n'était pas le bon train. (Il entoura les épaules de sa fille.) Je suis rudement content que tu l'aies remarqué à temps !

Il fallut trouver un autre porteur. Vati se décourageait et répétait qu'à coup sûr ils allaient manquer le train pour Paris. Mais en fait ils purent le prendre avec même quelques minutes d'avance. Son départ avait été légèrement repoussé pour s'accorder au retard de la ligne suisse. C'était tout de même étrange que le premier porteur n'eût pas été au courant de ce décalage !

Une fois assis dans leur compartiment, en attendant que le train parte, Max demanda soudain :

– Papa, est-ce que tu crois que le porteur voulait nous mettre exprès dans le mauvais train ?

– À mon avis, c'était plutôt une erreur de sa part.

– Eh bien, moi, je ne crois pas à l'erreur, affirma Max. J'ai l'impression qu'il essayait tout simplement de gagner les mille Marks de ta tête !

Pendant un temps, ils restèrent à méditer sur cette hypothèse, et sur ce qui aurait pu advenir s'ils avaient débarqué en Allemagne. Puis il y eut un signal et le train se mit en marche avec des secousses.

– En tout cas, dit Vati, s'il a voulu gagner mille Marks, il a fait une mauvaise affaire, car je n'ai même pas eu le temps de lui donner son pourboire.

Il sourit et se laissa aller sur la banquette.

– Et dans quelques minutes, grâce à Anna, nous serons en France et non pas en Allemagne. Et grâce à Max, nous y arriverons avec nos bagages au complet !

Puis, levant les mains dans un geste d'admiration béate :

– Ce que c'est, tout de même, que d'avoir des enfants intelligents !

*

Ils arrivèrent à Paris de nuit, morts de fatigue. L'ambiance du wagon avait progressivement changé depuis Bâle, par suite de la prédominance de plus en plus nette, à chaque arrêt, des voix françaises parlant haut, vite et pour tout dire de façon incompréhensible. Les odeurs venant du wagon-restaurant avaient changé, elles aussi. Anna avait noté tout cela. Mais maintenant elle se trouvait sur le quai de la gare parisienne, et elle se sentait submergée.

Autour d'elle c'était un tourbillon de gens qui criaient, s'étreignaient, s'apostrophaient, riaient et se sautaient au cou, leurs lèvres remuant à toute vitesse, leurs visages passant par toutes les expressions possibles, leurs mains bougeant dans tous les sens. De cette agitation forcenée montait un brouhaha de paroles dont elle ne saisissait pas le premier mot. Perdue dans ces lumières, ce tumulte et cette vapeur de locomotive, elle était prise d'un vertige. Mais Vati les avait poussés dans un taxi, et maintenant ils roulaient dans une rue encombrée.

Les trottoirs inondés de mille feux grouillaient de gens qui déambulaient, gesticulaient aux terrasses vitrées des cafés, buvaient, mangeaient, lisaient des journaux, faisaient du lèche-vitrine : bref, l'atmosphère d'une grande ville, bien différente du séjour paisible à l'*Hôtel Zwirn*. La hauteur des immeubles était impressionnante. Le taxi faisait des détours au milieu d'un enchevêtrement de voitures et de bus qui sillonnaient cette nuit tout allumée des enseignes électriques.

– La tour Eiffel ! annonça Max – mais Anna se retourna trop tard et ne la vit pas.

Le taxi s'engagea sur une grande place au centre de laquelle s'élevait une arcade monumentale et puissamment éclairée, dominant le maelström des automobiles klaxonnantes.

– L'Arc de triomphe, dit Vati. Nous arrivons.

Le taxi tourna dans une avenue plus calme, puis dans une petite rue sombre et stoppa enfin avec un grincement de freins.

Anna et Max attendirent dans le froid devant une haute façade pendant que leur père payait le taxi. Puis il ouvrit la porte cochère et les poussa dans le hall d'entrée en direction d'une femme qui était en train de sommeiller dans une espèce de cage en verre. Elle se réveilla en sursaut à la vue de Vati et se précipita par la porte de sa cage pour lui serrer la main et lui dire un tas de choses en français. Puis, sans cesser de jacasser, elle serra les mains d'Anna et de Max, qui ne purent répondre à ce déluge de mots que par des sourires niais.

– Madame est la concierge de l'immeuble, expliqua Vati faisant les présentations. C'est elle qui règne sur la maison.

Le chauffeur de taxi apportait les bagages. La concierge l'aida à introduire les plus volumineux par une étroite porte qu'elle tint ouverte ensuite pour Anna et Max, lesquels n'en croyaient pas leurs yeux.

– Papa ! Tu ne nous avais pas dit qu'il y avait un ascenseur !

– Et un ascenseur vraiment grandiose ! dit Anna.

Le mot « grandiose » fit rire Vati.

– Effectivement je n'aurais pas pensé à dire ça, dit-il.

L'appareil s'était mis en marche et s'élevait lentement vers les hauteurs dans un concert de soupirs et de grincements. Enfin il s'arrêta avec un spasme de moribond, et avant qu'ils fassent un geste pour sortir, la porte du palier s'ouvrit et Mutti apparut.

Anna et Max se ruèrent dans ses bras et il s'ensuivit une scène confuse d'attendrissements et de comptes rendus à plusieurs voix des événements qui s'étaient succédé depuis qu'on s'était quitté en Suisse. Vati embrassa Mutti, puis s'occupa de tirer les bagages à l'intérieur de la minuscule entrée qui se trouva bientôt totalement encombrée, personne ne pouvant plus s'y retourner.

– Venez dans la salle à manger, dit Mutti.

La pièce n'était guère plus grande, mais la table y était mise pour le dîner et elle était claire et accueillante.

– Où est-ce que j'accroche mon manteau ? demanda la voix de Vati encore dans l'entrée.

– Il y a un crochet derrière la porte, répondit Mutti en interrompant Max qui racontait avec fougue comment ils avaient failli se tromper de train.

Puis il y eut un bruit de collision. La voix de Vati dit poliment « bonsoir » et en même temps l'odeur de brûlé qu'Anna avait remarquée en arrivant s'intensifia. Une petite figure morne se montra à la porte et annonça d'une voix où perçait la satisfaction :

– Vos frites sont brûlées.

– Oh, Grete !... fit Mutti. (Puis, à l'adresse des membres de la famille :) Je vous présente Grete, qui vient d'Autriche et qui est à Paris pour se perfectionner en français. Elle me donnera un coup de main pour tenir la maison aux heures où ses études lui en laisseront le temps...

Grete donna à Max et à Anna une poignée de main molle.

– Vous parlez bien français ? demanda Max.

– Très mal, répondit Grete. C'est une langue impossible. Il y a des gens qui n'arrivent jamais à l'apprendre.

Puis, se tournant vers Mutti :

– Bon, eh bien, je vais me coucher.

– Mais, Grete !...

– J'ai promis à ma mère que, quoi qu'il arrive, je prendrais mes dix heures de sommeil. J'ai éteint le gaz sous les frites. Bonne nuit à tous.

Elle disparut.

– Vraiment ! fit Mutti. Cette fille n'est bonne à rien ! Au moins nous prendrons notre premier repas parisien entre nous ! Je vais vous montrer votre chambre, comme ça vous pourrez vous installer pendant que je fais d'autres frites.

Les murs de la chambre étaient peints en un vilain jaune qui s'accordait au vilain jaune des couvre-lits des deux lits et à celui des rideaux et de l'abat-jour. L'ameublement se réduisait à une armoire en bois et à deux chaises, mais qui emplissaient à elles seules toute la pièce.

– Et par la fenêtre, qu'est-ce qu'on voit ? demanda Max.

Anna s'approcha pour regarder. Ce n'était pas une rue, comme elle s'y était attendue, mais une cour de service entourée de façades et de fenêtres, et où il faisait aussi sombre qu'au fond d'un puits. Il en montait un vacarme attestant que quelqu'un était en train d'y remuer des poubelles. En levant les yeux on ne voyait qu'un morceau de ciel noir encadré par le bord irrégulier des toits. Cela changeait de l'auberge Zwirn et de la maison de Berlin.

Ils déballèrent pyjamas et brosses à dents et se distribuèrent les lits jaunes, puis partirent explorer le reste de l'appartement. L'expédition ne menait pas loin. À côté de leur chambre, il y avait celle de Vati, qui donnait sur la rue et dans laquelle se trouvaient un lit, une armoire, une chaise et une table sur laquelle trônait la machine à écrire. Dans cette chambre, une porte s'ouvrait sur ce qui devait être un petit salon, mais où se rencontraient çà et là divers éléments de la garde-robe maternelle.

– Tu crois que c'est la chambre de maman ?

– Ça m'étonnerait, dit Max. Il n'y a pas de lit.

Mais, examinant de plus près le canapé qui, avec un guéridon et deux petits fauteuils, occupait presque toute la pièce :

– Attends, dit-il. C'est un de ces canapés qui se transforment en lit.

Il souleva le siège, découvrant des draps, des couvertures et un oreiller.

– Maman dort dedans la nuit, et le jour elle le referme et change sa chambre en salon.

– Ce n'est pas bête comme système, dit Anna. Ça permet d'utiliser deux pièces en une seule.

Il n'était pas inutile de pouvoir utiliser deux fois l'espace de cet appartement, qui n'en contenait pas trop. Même le balcon, qui aurait dû se présenter, d'après les descriptions de Vati, comme une sorte de terrasse, n'était rien d'autre qu'un méchant rebord limité par un garde-fou de fer forgé. À part la salle à manger déjà visitée, il ne restait à voir que le minuscule réduit où dormait Grete, une salle de bains encore plus minuscule et pour finir une cuisinette dans laquelle ils retrouvèrent leurs parents.

Mutti, rouge comme un coquelicot, touillait quelque chose dans un récipient. Vati, adossé à la fenêtre, la regardait faire d'un œil désapprobateur et était en train de dire, au moment où les enfants pénétrèrent :

– Il me semble que tu aurais pu t'abstenir de tout ce tracas de dîner.

– Et qu'auraient mangé les enfants, peux-tu me dire ?

Mutti disparut derrière un nuage de fumée.

– Eh bien, dit Vati, ils auraient mangé un morceau de fromage avec une bonne bouteille de vin...

– Du vin ! (Mutti leva les yeux vers le plafond noirci.) Décidément, pour ce qui est de l'esprit pratique, ton cas est sans espoir !

– Je n'aurais jamais cru que tu savais faire la cuisine, dit Anna qui voyait pour la première fois sa mère devant un fourneau.

– Ça va être prêt dans cinq minutes, dit Mutti en touillant de plus belle. Oh ! mes pommes de terre !...

Une nouvelle carbonisation fut évitée de justesse.

– Frites et œufs brouillés, voilà le menu. J'ai pensé que ça vous plairait.

– Formidable, approuva Max.

– Maintenant où est le plat ?... Du sel !... Oh ! cria Mutti. Il faut que je les sorte, ces frites ! (Elle regarda Vati d'un œil aguicheur.) Chéri, peux-tu me passer la passoire ?

– La passoire ? Qu'est-ce que c'est qu'une passoire ?

*

Quand le dîner fut enfin servi, une bonne heure s'était écoulée et Anna dormait debout, se moquant de manger ou non. Mais elle n'en dit rien par égard pour sa mère qui s'était donné tant de peine. Max et elle avalèrent tant bien que mal le contenu d'une assiette et allèrent s'abattre sur leurs lits.

À travers les minces cloisons leur parvenaient de légers bruits de voix et un cliquetis de vaisselle.

– C'est drôle, dit Anna juste avant de sombrer dans le sommeil, je me souviens qu'à Berlin, quand Heimpi nous faisait des frites et des œufs brouillés, elle disait toujours que c'était de la cuisine simple et rapide.

– Il faut croire que maman manque un peu d'entraînement, dit Max.

13

Quand Anna se réveilla le lendemain matin, il faisait grand jour. Par une ouverture entre les rideaux jaunes elle put voir un morceau de ciel orageux au-dessus des toits. Il régnait une forte odeur de cuisine. Un cliquetis se faisait entendre, qui n'était plus celui de la vaisselle. Elle mit un certain temps à comprendre que c'était Vati en train de taper à la machine. Le lit de Max était vide. Elle se leva et se dirigea vers l'entrée en chemise de nuit. Mutti et Grete avaient dû s'activer : les valises avaient disparu. Dans le petit salon, le lit avait repris sa forme de canapé. Mutti apparut, sortant de la salle à manger.

– Ah, te voilà, ma chérie. Il est presque l'heure de déjeuner, mais viens tout de même prendre quelque chose.

Max, installé dans la salle à manger, buvait un bol de café au lait dans lequel il trempait des tartines d'un incroyablement long et mince bâton de pain.

– Ce pain s'appelle une *baguette*[1], expliqua Mutti, et il suffit de le regarder pour comprendre pourquoi. C'est une spécialité française.

Anna y goûta et trouva la baguette délicieuse. Le café était bon aussi. La toile cirée de couleur rouge mettait en valeur les tasses et les soucoupes. Il faisait chaud dans la pièce malgré la tempête de novembre qui soufflait dehors.

– On est bien ici, dit Anna. Ce n'est pas à l'auberge Zwirn qu'on aurait pris notre petit déjeuner en chemise de nuit !

– C'est un peu étroit, mais nous nous y ferons, dit Mutti.

Max s'étira en bâillant.

– On est quand même mieux chez soi, fit-il.

L'appartement possédait un charme supplémentaire qu'Anna ne parvenait pas à définir. Elle regarda sa mère verser le café tandis que Max se balançait sur sa chaise comme on lui avait dit cent fois de ne pas le faire. À travers la cloison arrivait toujours le crépitement de la machine à écrire. Tout à coup, elle comprit.

– L'endroit où nous vivons, finalement je m'en fiche, dit-elle. Ce que je veux, c'est que nous restions toujours ensemble...

---

1. Les mots en italique sont en français dans le texte original.

L'après-midi leur père les emmena en promenade. Ils prirent le métro, où régnait une odeur singulière. D'après Vati, elle résultait d'un mélange d'ail et de tabac français. Anna ne la détestait pas. Ils allèrent voir la tour Eiffel (sans y monter, à cause du prix), puis l'endroit où s'élevait le tombeau de Napoléon, et enfin l'Arc de triomphe, qui était à deux pas de la maison. Il commençait à se faire tard, mais Max fit remarquer que le prix pour y monter restait dans les limites du raisonnable – probablement parce que proportionné à sa hauteur, inférieure à celle de la tour Eiffel. Ils montèrent donc à l'Arc de triomphe.

Ils étaient les seuls visiteurs en cette fin d'après-midi froide et sombre, et l'ascenseur était vide. En sortant de la cabine, Anna fut à moitié renversée par une rafale d'un vent tout hérissé de pluie et elle se demanda si ç'avait été une bonne idée de monter. Mais en s'approchant du bord, elle vit au-dessous d'elle l'énorme étoile scintillante formée de toutes les avenues partant dans toutes les directions, avec, en son centre, au pied de l'Arc, tout en bas, l'anneau de lumière allumé dans la nuit par les feux des voitures et des bus tournant autour de la place. Au loin se dressaient des édifices et des dômes dont les formes se perdaient dans les ténèbres. Le phare qui dominait tout cela était le troisième étage de la tour Eiffel.

– Alors, demanda Vati, n'est-ce pas une jolie ville ?

Anna regarda son père, dont le manteau avait perdu un bouton et se gonflait de courants d'air. Il ne paraissait pas en souffrir outre mesure.

– Très jolie, dit-elle.

Le retour à l'appartement chauffé fut agréable, d'autant que Grete avait consenti, cette fois, à aider Mutti. Le dîner était prêt.

– Avez-vous fait des progrès en français ? demanda Mutti.

– Certainement pas, fit Grete en devançant la réponse. Il leur faudra des mois.

Anna et Max croyaient bien pourtant avoir appris quelques mots, rien qu'en écoutant leur père. Ils savaient maintenant dire *oui, non, merci, au revoir* et *bonsoir madame*, et Max se targuait même de pouvoir répéter le *trois billets s'il vous plaît* qu'avait dit Vati à la guichetière du métro.

– Vous en apprendrez bien d'autres d'ici peu, dit Mutti. Je me suis arrangée pour qu'une dame vous donne des leçons, et elle commence demain après-midi.

La dame en question s'appelait mademoiselle Martel et le lendemain matin Anna et Max commencèrent à rassembler tout ce qui leur serait utile pour la leçon particulière. Vati prêta un vieux dictionnaire allemand-français et Mutti fournit le papier pour écrire. Mais ni l'un ni l'autre n'avait de crayon à proposer.

– Allez en acheter un, il y a une papeterie au coin de la rue, dit Mutti.

– Mais on ne parle pas français !

– Et après ? Vous n'avez qu'à emporter votre dictionnaire ! Voici un franc chacun, gardez la monnaie...

– Dis-nous au moins quel est le mot français pour « crayon ».

Mutti le prononça en articulant de son mieux. Son accent n'était pas aussi bon que celui de Vati, mais elle connaissait pas mal de vocabulaire.

– Maintenant, allez-y vite !

Dans l'ascenseur (c'était son tour d'appuyer sur le bouton pour descendre), Anna se sentit pleine d'ardeur pour mener à bien la délicate mission, et cette ardeur ne faiblit même pas quand elle constata que la papeterie indiquée vendait apparemment plus de matériel de bureau que de crayons et de gommes.

Le dictionnaire sous le bras, elle entra la première et dit d'une voix tonitruante :

– *Bonsoir, madame !*

Le patron du magasin la regarda, interloqué.

– Ce n'est pas une dame, c'est un monsieur, chuchota Max en donnant un coup de coude à sa sœur. Et puis « *bonsoir* » se dit le soir, pas le matin...

– Oh ! fit Anna embarrassée.

Mais l'homme sourit et dit quelque chose qu'ils ne comprirent pas mais interprétèrent comme une parole aimable. Ils sourirent en retour, et Anna se lança dans une nouvelle tentative.

– *Un crayon...*

– *... s'il vous plaît*, ajouta Max.

L'homme sourit de nouveau, chercha dans une boîte derrière son comptoir et en sortit un superbe crayon rouge qu'il tendit à Anna, laquelle, sidérée de son succès, en oublia de dire *merci*.

Elle restait plantée là, extasiée, le crayon à la main. Comme tout était facile !

Mais Max voulait lui aussi un crayon.

– *Un crayon*, dit-il.

– Oui, oui, fit l'homme avec un troisième sourire et en désignant le crayon dans la main d'Anna.

Il tombait visiblement d'accord avec Max : il s'agissait bien d'un crayon.

– *Non*, dit Max. *Un crayon.* (Il cherchait un moyen de faire comprendre qu'il en voulait un aussi.) *Un crayon*, répéta-t-il un ton au-dessus et en se mettant l'index sur le sternum, ce qui lui donna l'air de se présenter sous le nom de « crayon ».

Cela fit pouffer Anna.

– Ah !... fit l'homme – et il sortit de sa boîte un deuxième crayon, qu'il remit à Max avec un petit salut.

– *Merci*, déclara Max soulagé.

Il donna les deux francs et attendit la monnaie. Au bout d'un moment, il apparut qu'il n'y en avait pas. Quelle déception ! Il aurait été si agréable de récupérer un peu d'argent de poche.

– Demandons-lui s'il n'a pas d'autres crayons moins chers, suggéra Anna à voix basse.

– On ne peut quand même pas, dit Max.

– Essayons toujours. Regarde dans le dictionnaire comment on dit « autre ».

Anna se montrait parfois têtue.

Max compulsa le dictionnaire sous le regard curieux du papetier.

– *Autre*, s'écria-t-il au terme de sa recherche.

Anna brandit son crayon en un geste triomphal et dit :

– *Un autre crayon.*

– Oui, oui, dit l'homme avec un peu d'hésitation.

Et il tendit à Anna un troisième crayon de la même boîte.

– *Non*, fit-elle en le lui rendant.

Le sourire du marchand commençait à se figer.

Anna fit un geste des doigts visant à suggérer la notion d'une chose modeste et de qualité inférieure.

– *Un autre crayon*, répéta-t-elle.

L'homme la regardait fixement à la façon du spectateur qui suit un numéro de trapèze. Puis il haussa les épaules et lâcha en français une formule de découragement.

– Allez, viens, dit Max rouge de honte.

– Pas question. Donne-moi le dictionnaire.

Anna tourna fiévreusement les pages à la recherche de l'expression « bon marché ».

– Ça y est, hurla-t-elle. *Bon marché ! Un bon marché crayon !*

Ses cris firent sursauter deux dames qui étaient en train de choisir une machine à écrire.

Le marchand sembla soudain très vieux et très las. Lentement il se mit en marche vers une autre boîte en carton, d'où il tira un crayon plus petit et de couleur bleue. Il le tendit à Anna, qui acquiesça et lui remit le rouge en échange. Alors le marchand lui rendit vingt centimes de monnaie. Puis il se tourna vers Max et attendit dans une attitude accablée.

– *Oui !* cria Anna au comble de l'excitation. *Un autre bon marché crayon !*

La procédure se répéta au profit de Max.

– *Merci*, dit Max.

L'homme se contenta de hocher la tête, épuisé.

– Ça nous fait vingt centimes chacun, dit Anna. Pense à tout ce que nous allons pouvoir acheter !

– Je ne crois pas qu'il y ait de quoi aller bien loin... dit Max.

– Tant pis, c'est mieux que rien.

Anna voulait signifier au marchand qu'elle lui était reconnaissante. Alors elle lui adressa un large sourire et lança en sortant du magasin un retentissant :

– *Bonsoir madame !*

*

Mademoiselle Martel était une personne vêtue d'un élégant tailleur et coiffée d'un petit chignon poivre et sel. Retraitée de l'enseignement primaire, elle savait trois mots d'allemand, spécialité qui jusqu'alors ne lui avait pas servi à grand-chose. Mais dans ce Paris subitement peuplé d'Allemands chassés de chez eux par le régime hitlérien et tous aussi avides les uns que les autres de pouvoir se faire comprendre sur la terre d'exil, elle ne savait plus où donner de la tête, ou plutôt où donner ses cours. Ce devait être cette utilisation inattendue de ses compétences, pensait Anna, qui conférait à son visage un peu mûr cette expression de légère surprise qui ne le quittait jamais.

À part ça, elle était très bon professeur. Sa méthode consistait à parler français coûte que coûte en s'aidant du langage des gestes et du mime quand Max et Anna ne comprenaient pas.

– *Le nez*, disait-elle en posant un doigt sur son

nez poudré. *La main*, ajoutait-elle en levant la main, *et les doigts* (en agitant les doigts).

Elle leur écrivait les mots et ils les épelaient et les prononçaient jusqu'à ce qu'ils le fassent correctement. De temps à autre il y avait des malentendus, comme la fois où elle avait dit : « *les cheveux* », en montrant ses cheveux à elle, et où Max, persuadé que *cheveux* voulait dire : « chignon », éclata d'un rire nerveux quand mademoiselle Martel lui demanda de montrer ses cheveux à lui.

Les jours où elle ne venait pas, Max et Anna faisaient les devoirs qu'elle leur avait demandés. Au début il s'agissait seulement d'étudier des mots nouveaux, mais bientôt mademoiselle Martel voulut qu'ils rédigent de petites histoires.

– Comment ferons-nous ? Nous ne savons pas encore assez de français, s'inquiéta Anna.

Mademoiselle Martel tapota le dictionnaire et dit d'un ton sans réplique :

– *Le dictionnaire !*

Ce fut un effort de Titan. Ils devaient chercher chaque mot et il fallut à Anna une matinée pour pondre une demi-page, et cette demi-page se révéla truffée de fautes lors de la correction.

– Ce n'est pas grave, cela viendra, dit mademoiselle Martel en une de ses rares incursions sur le terrain de la langue allemande.

– *Ce n'est pas grave, cela viendra*, se moqua Max

le lendemain en voyant sa sœur tirer la langue au-dessus d'une feuille où elle s'efforçait depuis une heure de décrire les démêlés entre un chien et un chat.

– Et toi, alors ? Tu ferais mieux de t'y mettre, fit Anna furieuse.

– J'ai déjà fait une page et quelque, dit Max.

– Tu mens !

– Vois toi-même.

C'était vrai. Max avait bel et bien composé plus d'une page et, à première vue, ça ressemblait à du français.

– Ça veut dire quoi, tout ça ? demanda Anna avec un regard lourd de soupçons.

Max lut brillamment :

– « Il y avait un garçon qui fêtait son anniversaire. Il y eut beaucoup d'invités. Ils firent un grand festin. Ils mangèrent du poisson, de la viande, du beurre, du pain, des œufs, du sucre, des fraises, des homards, de la glace, des tomates, de la farine… »

– Certainement pas de la farine, le coupa Anna.

– Qu'est-ce que tu en sais ? Enfin, bon… je ne suis pas sûr du mot « farine ». J'ai regardé dans le dictionnaire, mais j'ai oublié.

– Est-ce que toute la suite de ton histoire est une liste de ce que les invités ont mangé ? demanda Anna en pointant son index sur la page saturée de virgules.

– Oui.

– Et cette phrase à la fin, sans virgules, qu'est-ce que c'est ?

– C'est la meilleure partie, dit Max fièrement. « Et ils éclatèrent tous. »

Mademoiselle Martel lut la composition française de Max sans ciller et déclara qu'à l'évidence il avait enrichi son vocabulaire. Mais la louange se refroidit le lendemain, quand Max produisit un devoir identique. Cela commençait par « Il y avait une fois un mariage » et se poursuivait par l'inventaire de tous les plats composant le banquet de noce, avec explosion finale des convives gavés. Mademoiselle Martel fronça le sourcil et sa main pianota sur le dictionnaire. Puis elle enjoignit à Max, avec la plus grande fermeté, de bien vouloir changer de technique littéraire pour le prochain devoir.

Le lendemain matin, les enfants étaient attablés dans la salle à manger, leur matériel de travail éparpillé sur la nappe rouge. Anna se triturait les méninges sur un projet de narration concernant un homme qui possédait un cheval et un chat. L'homme aimait le chat, le chat aimait le cheval, le cheval aimait l'homme, mais le cheval n'aimait pas le chat... Voilà où en était tombée Anna, alors qu'elle aurait écrit tant de choses intéressantes en allemand !

Max, quant à lui, n'écrivait rien. Il regardait dans

le vague. Grete entra et leur demanda de débarrasser leurs affaires pour qu'elle pût mettre le couvert du déjeuner. La feuille de Max restait d'une blancheur immaculée.

– Mais il n'est que midi ! s'écria Anna.

– Je n'aurai pas le temps de mettre la table plus tard, dit Grete plus revêche que jamais.

– On ne peut pas s'installer ailleurs, c'est le seul endroit, plaida Max.

Finalement ils obtinrent cinq minutes de délai de grâce.

– Que vas-tu faire ? demanda Anna. Cet après-midi, nous sortons...

– Passe-moi le dictionnaire, dit Max.

Il le feuilleta rapidement (ils commençaient tous deux à exceller dans l'art de feuilleter un dictionnaire) et Anna l'entendit murmurer le mot : « *enterrement* ».

À la leçon suivante, mademoiselle Martel lut le devoir de Max dans un silence complet. Max avait fait de son mieux pour introduire des variations autour de son thème de base, et les personnes qui avaient suivi le convoi mortuaire absorbaient, une fois à table, du papier, du poivre, des pingouins, du bœuf séché et des pêches mélangées à divers condiments exotiques. Après l'apothéose terminale en forme d'explosion des mangeurs, Max avait ajouté :

« ... et il y eut ainsi beaucoup d'autres enterrements à célébrer. »

Mademoiselle Martel se concentra un petit moment. Puis elle lança à Max un regard dur et prolongé et dit :

– Jeune homme, il vous faut du changement !

Quand Mutti entra à la fin de la leçon, ainsi qu'elle le faisait souvent pour demander si les élèves progressaient, mademoiselle Martel fit un petit discours. Elle dit qu'au terme des trois semaines de cours Anna et Max avaient effectivement progressé, mais que le temps était venu où ils apprendraient plus vite au milieu d'autres enfants et en entendant parler français autour d'eux.

Mutti partageait cet avis.

– C'est presque Noël. Peut-être pourriez-vous leur donner encore une ou deux leçons avant les vacances, après quoi ils commenceront l'école.

Max lui-même se mit à travailler dur au cours de la période suivante, légèrement effrayé par cette perspective de se retrouver bientôt dans une école où tout le monde ne parlerait que le français.

À Noël, Grete alla passer les fêtes chez elle, en Autriche, et Mutti, privée de son aide pour faire les repas, négligea le ménage. Mais personne ne se plaignait de la poussière, avantageusement compensée par le plaisir d'être débarrassé de l'acariâtre Grete. Anna attendait Noël avec impatience, tout en redoutant sa venue. Comment ne pas attendre Noël ? Mais aussi, comment ne pas penser à ce qu'était Noël à Berlin ?

– Crois-tu que nous aurons un arbre de Noël ? demanda-t-elle à Max.

À Berlin, il y avait toujours eu un gros sapin dans l'entrée et l'un des plaisirs de Noël consistait à reconnaître, d'une année sur l'autre, les boules en verre, les trompettes et les oiseaux emplumés qui le décoraient.

– Je n'ai pas l'impression que les Français se passionnent tellement pour les arbres de Noël, dit Max.

Cependant Mutti voulut qu'il y en eût un. Quand Vati appela les enfants à l'heure du thé le jour de Noël afin d'entamer les festivités, et qu'ils arrivèrent en courant dans la salle à manger, Anna ne vit tout d'abord que lui. C'était un sapin d'environ soixante centimètres de haut, que Mutti avait enrubanné de fil d'or en guise de décoration, et garni de petites bougies. Malgré la modestie de ses proportions et la pauvreté de sa parure, il avait si fière allure sur la toile cirée rouge qu'Anna comprit tout de suite que Noël se passerait bien.

Les cadeaux ne valaient pas ceux des années précédentes, mais on était aussi moins blasé qu'aux jours heureux, et ils furent très appréciés. Anna reçut une nouvelle boîte de peinture et Max un stylo à réservoir. Omama avait envoyé de l'argent et Mutti en avait utilisé une part à l'achat de chaussures neuves pour Anna. Celle-ci était allée les essayer dans le magasin, et le cadeau n'était donc pas tout à fait une surprise, mais Mutti les avait aussitôt fait disparaître pour qu'elles restent impeccables jusqu'au grand jour. Elles étaient en épais cuir brun avec des boucles dorées. Anna les chaussa avec fierté. Elle reçut aussi un taille-crayon dans une boîte et une paire de chaussettes rouges tricotées à la main de la part de Frau Zwirn, et alors qu'elle pensait qu'elle avait vu tous ses cadeaux, il s'en présenta un dernier – un tout petit paquet venant d'oncle Julius.

Anna l'ouvrit avec précaution et poussa un cri de ravissement.

– C'est adorable ! Qu'est-ce que c'est ?

Elle tira du papier de soie une chaînette en argent à laquelle étaient suspendues des breloques représentant des animaux – lion, cheval, chat, oiseau, éléphant, et bien sûr un singe.

– C'est un bracelet à amulettes, dit Mutti en le lui attachant autour du poignet. Que c'est gentil de la part de Julius !

– Il y a une lettre avec, dit Max en la lui tendant.

Anna la lut à haute voix :

– « Chère Anna, j'espère que cette babiole te rappellera nos visites au zoo de Berlin. Sans vous, elles ne sont plus si attrayantes. S'il te plaît, embrasse de ma part ta chère tante Alice. J'espère qu'elle va bien. Dis-lui que je pense souvent à elle et à son bon conseil que j'aurais peut-être dû suivre. Baisers à tous. Votre oncle Julius. » Qu'est-ce que c'est que cette histoire de tante Alice ? demanda Anna. Nous n'avons pas de tante Alice.

Vati prit la lettre.

– Ce doit être de moi qu'il s'agit, dit-il. Oncle Julius m'appelle « tante Alice » parce que les nazis ouvrent le courrier et qu'on prend de gros risques à m'écrire.

– Quel conseil lui as-tu donné ? demanda Max.

– Celui de quitter l'Allemagne, dit Vati (et il ajouta tout bas :) Pauvre Julius !

– Je lui écrirai pour le remercier, affirma Anna, et je lui ferai une image avec ma nouvelle boîte de peinture.

– Très bien, dit Vati. Tu lui diras que tante Alice l'embrasse.

C'est alors que Mutti poussa le cri de désespoir auquel ils étaient à présent habitués :

– Malheur ! Mon poulet !

Elle se précipita à la cuisine. Mais le poulet n'avait pas brûlé et bientôt ils se trouvèrent attablés devant un véritable dîner de Noël entièrement préparé par Mutti. Avec le poulet il y avait des pommes de terre sautées et des carottes, et le festin se terminait par un flan aux pommes arrosé de crème. Mutti faisait des progrès. Elle avait même confectionné des pains d'épice en forme de cœur, élément traditionnel des Noëls allemands. Leur allure était un peu bizarre et leur consistance un peu celle d'une éponge humide au lieu de la fermeté requise, mais le goût était passable.

Au dessert, Vati versa du vin à tous et ils levèrent leur verre.

– À notre nouvelle vie en France, dit Vati.

Ils répétèrent :

– À notre nouvelle vie en France.

Mutti ne but pas son vin, prétextant qu'il avait le goût d'encre. Au contraire, Anna le trouva excellent et vida son verre d'un trait. Moyennant quoi, elle titubait en allant se coucher et il lui fallut fermer les yeux pour empêcher l'abat-jour jaune et l'armoire de tourner.

Cela avait été un beau Noël, pensa-t-elle. Et bientôt elle irait à l'école et découvrirait vraiment ce que c'est que de vivre en France.

14

Anna n'entra pas à l'école à la date prévue. Mutti avait réussi à inscrire Max dans un *lycée* de garçons pour le début janvier, mais les établissements de filles étaient plus rares à Paris, et tous complets, avec de longues listes d'attente.

– Nous n'avons pas les moyens de te mettre dans un cours privé, dit Mutti, et je ne trouve pas que ce soit une bonne idée que tu ailles à l'*école communale*.

– Pourquoi ?

– Les écoles communales sont faites pour les enfants qui ne poursuivront pas leurs études, et l'enseignement ne doit pas y être aussi bon. Par exemple, tu n'y ferais pas de latin.

– Je n'ai pas besoin du latin, dit Anna. J'ai déjà bien assez de peine avec le français ! Et le principal, c'est que j'aille à l'école !

– Pas de précipitation, dit Mutti. Laisse-moi encore un peu de temps pour chercher.

Max alla donc à l'école et Anna resta à la maison. Le lycée de Max était pratiquement à l'autre bout de Paris. Il lui fallait prendre le métro aux aurores, et il ne rentrait pas avant cinq heures. Mutti avait choisi ce lycée en dépit de son éloignement parce qu'on y pratiquait le football deux fois par semaine, alors que dans la plupart des autres établissements on consacrait tout son temps à l'étude. La maison parut vide le premier matin sans Max. Anna alla faire les courses avec sa mère. Le temps était froid et sec. Elle avait tellement grandi qu'un énorme espace s'ouvrait entre le haut de ses chaussettes en laine et l'ourlet de son manteau d'hiver.

Mutti regarda les jambes de sa fille couverte de chair de poule et soupira :

– Je me demande comment nous allons pouvoir t'habiller !...

– Ne t'inquiète pas, dit Anna. J'ai le gilet que tu m'as tricoté.

Ce gilet, pur produit de la technique de tricotage maternelle, s'était révélé en fin de compte si long, si lourd et si épais que nul froid n'aurait pu le pénétrer, et c'était le vêtement idéal pour la saison. Le fait qu'il ne laissât apparaître que deux ou trois malheureux centimètres de la jupe d'Anna semblait un inconvénient négligeable.

– Eh bien, si tu es sûre d'avoir assez chaud, allons au marché, dit Mutti. Au marché, tout est moins cher.

C'était assez loin et Anna porta le panier à provisions à travers quantité de rues qui tournaient dans tous les sens, pour enfin déboucher dans un endroit grouillant de monde, plein de boutiques et d'étalages. Il s'y vendait de tout, depuis les légumes jusqu'aux boutons, et Mutti voulut d'abord faire un tour général d'inspection afin de s'assurer que les prix étaient intéressants.

Les commerçants faisaient l'article, brandissant leur marchandise pour attirer l'attention, et parfois il était difficile de se frayer un passage entre les oignons et les carottes qu'on proposait à votre convoitise. Certaines boutiques spécialisées ne vendaient par exemple que du fromage, au moins trente sortes différentes étalées sur des tréteaux le long du trottoir et chaque fromage présenté avec art sur un carré de mousseline.

Soudain, comme Mutti allait se laisser tenter par un chou rouge, Anna entendit une voix qui les interpellait en français. C'était une dame en manteau vert, portant un panier débordant de victuailles et qui souriait de ses yeux bruns pleins de gentillesse. Mutti, occupée à inspecter un chou, ne la reconnut d'abord pas, puis elle s'écria : « Madame Fernand ! » et lui serra la main avec chaleur.

Madame Fernand ne parlait pas allemand et le dialogue se fit en français. L'accent de Mutti n'était pas encore parfait, mais son vocabulaire et sa syntaxe s'étaient nettement améliorés.

Madame Fernand demanda à Anna si elle comprenait le français et cette question fut posée si lentement et en articulant si bien qu'Anna put répondre : « Un peu », et madame Fernand applaudit en criant : « Magnifique ! » et complimenta Anna sur son « accent parfait ».

Mutti tenait toujours le chou rouge. Madame Fernand le lui prit des mains et le reposa à l'étalage. Puis elle indiqua une autre boutique au coin de la rue qui vendait des choux rouges bien plus beaux et moins cher. Conseillée par madame Fernand, Mutti acheta non seulement un chou rouge, mais aussi beaucoup d'autres fruits et légumes, et avant de les quitter madame Fernand donna à Anna une banane pour la route en disant quelque chose que Mutti traduisit par : « Cela te donnera des forces pour le chemin du retour. »

Cette rencontre avait été bien agréable. Mutti aimait beaucoup madame Fernand et son mari journaliste, les premiers amis de Vati dès son voyage initial à Paris. Madame Fernand venait de lui donner leur numéro de téléphone pour qu'elle l'appelât chaque fois qu'elle aurait besoin d'aide ou de conseils en quelque domaine que ce fût. Son mari partait en voyage pour plusieurs semaines, mais dès son retour il faudrait venir dîner chez eux ! Mutti était ravie de cette invitation.

– Ce sont des gens si charmants, et ce serait si agréable d'avoir des amis à Paris.

Les courses finies, on s'en revint à la maison et Anna dit « *Bonjour, madame* » à la concierge pour faire admirer son « parfait accent français » et monta dans l'ascenseur sans cesser de faire des phrases. Mais en pénétrant dans l'appartement, elle se souvint que Max était au lycée et l'ennui de toute cette longue journée à passer toute seule s'abattit sur elle. Elle aida sa mère à déballer les provisions puis, après ça, ne trouva plus rien à faire.

Grete faisait une lessive dans la salle de bains et Anna hésita à aller lui tenir compagnie. Mais Grete était rentrée d'Autriche plus hargneuse que jamais et n'avait plus d'autre sujet de conversation que le malheur d'être en France, pays ignoble où la langue était un charabia, les gens sales, la nourriture écœurante, bref, où rien n'allait. En outre, la mère de Grete avait profité des quelques jours passés avec sa fille pour lui arracher d'autres serments. Grete avait promis non plus seulement de dormir beaucoup, mais de ménager son dos et d'éviter les foulures du poignet : d'où l'impossibilité désormais pour elle de laver le sol, ou alors très lentement et surtout pas dans les coins. Elle avait promis accessoirement de prendre toujours de bons déjeuners, de s'allonger à la moindre fatigue et d'éviter les courants d'air.

Grete se montrait extrêmement rigoureuse dans

le respect de la parole donnée à sa mère, et cette fidélité – constamment battue en brèche par les prétentions de Mutti et du reste de la famille – revenait dans ses propos presque aussi souvent que le thème de l'ignominie française.

Anna renonça au projet d'aller la retrouver et retourna à la cuisine pour demander à sa mère :

– Qu'est-ce que je peux faire ?

– Lis donc un peu de français, dit Mutti.

Mademoiselle Martel avait laissé un livre de contes à l'intention d'Anna, mais ce livre s'adressait à de tout jeunes enfants, et au bout de dix minutes d'un déchiffrage pénible à la salle à manger Anna se lassa de manier le dictionnaire avec pour unique résultat d'apprendre que Pierre avait jeté un bâton à la tête de sa petite sœur et que sa mère l'avait appelé « vilain garçon ».

Le déjeuner la délivra. Elle aida à mettre le couvert et à débarrasser. Puis elle fit un peu de peinture. Mais le temps passait toujours aussi lentement. Enfin, bien après cinq heures, la sonnette retentit, annonçant le retour de Max. Anna se précipita pour ouvrir, mais Mutti l'avait devancée.

– Alors, raconte ! dit Mutti. Comment était-ce ?

– Pas mal, fit Max.

Il était pâle et semblait fatigué.

– Il est bien, ce lycée ? demanda Anna.

– Qu'est-ce que j'en sais ? Je ne comprends pas un mot de ce qu'ils disent !

Max se tut et resta morose jusqu'au dîner.

Après le dîner, il dit soudain à Mutti :

– Il me faut un cartable français normal. Celui-ci (il donna un coup de pied dans sa sacoche allemande, qui se portait sur le dos) me rend différent de tout le monde...

Anna savait que les cartables coûtaient cher et objecta machinalement :

– Tu l'as pourtant acheté l'année dernière...

– Qu'est-ce que ça peut te faire ? cria Max. Qu'est-ce que tu y connais, toi qui te prélasses à la maison toute la journée ?

– Ce n'est pas ma faute, si je ne vais pas à l'école ! C'est parce que maman n'arrive pas à m'en trouver une !...

– Eh bien, jusqu'à ce que tu y ailles, ferme-la !

Après cette prise de bec, ils ne se parlèrent plus, même lorsque Mutti, à la surprise d'Anna, promit d'acheter un cartable français.

Quelle tristesse ! pensait Anna. Elle avait attendu Max toute la journée, et voilà qu'ils se disputaient ! Elle se jura que ça ne se reproduirait pas le lendemain – mais ça se reproduisit.

Max rentrait de l'école de si mauvaise humeur que la dispute était inévitable.

Pour comble de malheur, le temps tourna à

l'humide et Anna attrapa un rhume qui la maintint à la maison. Elle passait la journée entre quatre murs, et le soir les rapports avec Max étaient si difficiles que le ton montait vite. Max trouvait injuste d'avoir à passer d'aussi dures journées pendant qu'Anna se reposait, et Anna s'inquiétait de voir son frère progresser à pas de géant dans ce monde nouveau qui allait être le leur à tous deux, et craignait de ne jamais pouvoir le rattraper.

– Il faut absolument que j'aille à l'école, n'importe où ! dit-elle à sa mère.

– Sûrement pas n'importe où ! répondit Mutti agacée.

Aucune des écoles qu'elle avait vues n'était possible. Elle avait appelé à l'aide madame Fernand, mais pour l'instant sans résultat, et elle commençait à se décourager.

Quant à Vati, il n'allait guère mieux. Surmené par son travail, il avait attrapé le rhume d'Anna et d'anciens cauchemars étaient revenus troubler son sommeil. Il les avait déjà faits à l'auberge Zwirn, mais alors les enfants ne s'en étaient pas aperçus. C'était toujours le même rêve : il essayait de sortir d'Allemagne, mais les nazis l'arrêtaient à la frontière et il s'éveillait en hurlant.

Les cris de Vati ne dérangeaient nullement Max malgré la minceur de la cloison, et il continuait à dormir comme une pierre. Anna, au contraire, se réveillait en sursaut et restait le cœur battant, affreusement impressionnée. N'y eût-il eu qu'un seul cri, même très fort, que ça n'aurait pas été si pénible. Mais le cauchemar commençait lentement, et Vati gémissait d'abord, grognait de façon effrayante et faisait entendre toutes sortes de râles, avant l'explosion du hurlement final.

La première fois, Anna crut que Vati était malade. Elle courut à sa chambre et se tint timidement au bord du lit en appelant sa mère. Mutti eut beau lui expliquer que c'était un cauchemar et qu'il ne fallait pas s'affoler, son malaise n'en fut pas moins grand. Elle trouvait terrible d'avoir à entendre ça de son lit, tout en sachant que Vati, dans son rêve, vivait des événements dramatiques.

Une nuit, après s'être mise au lit, Anna se mit à souhaiter de tout son cœur que son père fût délivré de ses cauchemars.

– S'il vous plaît, s'il vous plaît... murmurait-elle. (Bien qu'elle n'eût jamais exactement cru en Dieu, elle nourrissait le vague espoir qu'il se trouvât, quelque part, quelqu'un capable de tout arranger.) Oh, s'il vous plaît !... Faites que j'aie les cauchemars de papa à sa place...

Elle resta étendue, attendant de s'endormir.

Max, à côté d'elle, tourna la tête sur son oreiller, poussa deux grands soupirs et sombra aussitôt dans le sommeil.

Longtemps après (peut-être plusieurs heures !) Anna ne dormait toujours pas. Les yeux grands ouverts sous le plafond noir, elle commençait à s'énerver : comment faire un cauchemar si on n'arrivait pas d'abord à s'endormir ? Elle avait essayé les méthodes classiques, comme de faire du calcul mental ou de passer en revue tout ce qu'on connaissait d'ennuyeux. Mais en vain. Fallait-il aller boire un verre d'eau ? C'était trop dur de quitter le lit douillet...

Finalement Anna avait dû se lever, car maintenant elle se trouvait dans l'entrée. Elle n'avait plus soif et plutôt que d'aller à la cuisine, il lui prenait l'idée de descendre en ascenseur voir à quoi la rue ressemblait en pleine nuit. À sa grande surprise, elle trouvait la concierge dormant dans un hamac suspendu contre la porte cochère et il fallait la soulever pour pouvoir sortir. La porte se refermait en claquant et Anna espérait que ça ne réveillerait pas la concierge.

La rue était calme, baignée d'une clarté brune inhabituelle. Deux hommes passaient. Ils avaient l'air pressés. Ils portaient un sapin de Noël.

– Mieux vaut rentrer, disait l'un d'eux. Il arrive.

– Qui arrive ? demandait Anna.

Mais les deux hommes avaient déjà tourné le coin de la rue. De la direction opposée parvenait maintenant un bruit de frottement. La teinte brune de la lumière ambiante se renforçait. Une énorme créature, tout en longueur, apparaissait au bout de la rue. Malgré ses proportions monstrueuses, il y avait en elle un élément familier pour Anna. En fait, c'était Pumpel, gigantesquement agrandi et dont les pattes produisaient le bruit de frottement. Il regardait Anna de ses petits yeux pleins de rancune et se léchait les babines.

– Oh non ! disait Anna.

Elle prenait la fuite, mais l'air autour d'elle se changeait en plomb et l'empêchait de bouger. Pumpel s'approchait d'elle.

Il y avait ensuite un bruit de roues et un sergent de ville passait en trombe, cape au vent, sur son vélo.

– Compte ses pattes ! criait-il. C'est ta seule chance !

Comment compter toutes les pattes de Pumpel ? Il en avait des milliers remuant partout de chaque côté de son corps – un vrai mille-pattes !

– Un, deux, trois... comptait Anna – et elle arrivait à quatre-vingt-dix-sept, mais Pumpel était pratiquement sur elle et elle se disait soudain que, comme on était à Paris, il exigerait sûrement qu'elle comptât en français !

Comment disait-on « quatre-vingt-dix-sept » en français ? Elle ne trouvait pas et perdait ses moyens.

– *Quatre-vingt*... bégayait-elle, *quatre-vingt*...

Elle sentait le souffle chaud et puant de la bête.

– *Quatre-vingt-dix-sept !* cria-t-elle triomphalement en se dressant sur son lit, le cœur battant à tout rompre dans sa poitrine oppressée.

Mais tout était calme dans la chambre. Tout allait bien. Max respirait régulièrement dans son coin. Sauvée ! Ça n'avait été qu'un cauchemar !

Une fenêtre éclairée, de l'autre côté de la cour, dessinait un rectangle clair sur les rideaux. Anna pouvait distinguer ses vêtements pliés sur la chaise, prêts pour le lendemain matin. Pas un bruit dans la chambre de Vati. Elle s'allongea de nouveau et resta un moment à déguster le silence de cette nuit paisible. Elle allait céder au sommeil, quand elle se souvint, avec un sursaut de fierté, qu'elle venait de faire un cauchemar ! Elle en avait fait un, et Vati n'en faisait pas ! Sa prière avait été exaucée ! Elle se pelotonna dans la chaleur de son lit, tout heureuse – et ce dont elle se rendit compte ensuite, c'est que c'était le matin et que Max s'habillait.

– As-tu fait un cauchemar cette nuit ? demanda-t-elle à son père au petit déjeuner.

– Pas le moindre, dit Vati. Je crois que j'en suis débarrassé.

Anna ne l'avoua à personne, mais elle resta persuadée que c'était elle qui avait guéri son père de ses cauchemars. Et le fait est, curieusement, que ni son père ni elle-même n'en firent plus jamais à partir de ce jour-là.

*

Un des soirs suivants, Max et elle se chamaillèrent plus gravement que d'ordinaire. Max avait trouvé à son retour de l'école les affaires de peinture d'Anna répandues sur la table de la salle à manger où il projetait de faire ses devoirs.

– Pousse tes saletés de là ! cria-t-il.

À quoi Anna rétorqua, furieuse :

– Saleté toi-même ! Ce n'est pas parce que monsieur va à l'école que monsieur doit se croire le roi à la maison !

Mutti était au téléphone et leur enjoignit par la porte ouverte de faire moins de bruit.

– N'empêche qu'ici je compte plus que toi, qui restes à traîner toute la journée sans rien faire, dit Max.

– Menteur ! Je dessine, et je mets le couvert...

– « Je dessine, et je mets le couvert », la singea Max d'une façon particulièrement offensante. Espèce de parasite, va !...

C'en était trop. Anna n'aurait pas juré de ce qu'était au juste un parasite, mais le mot évoquait pour elle des champignons dégoûtants poussant sur les troncs d'arbre. Comme Mutti raccrochait, elle éclata en sanglots ostensibles.

Mutti arbitra le différend avec sa netteté habituelle. Max ne devrait plus à l'avenir donner aucun nom ou surnom à Anna, et celle-ci en retour s'engageait à ranger ses affaires pour qu'il pût faire ses devoirs.

– Quant au mot « parasite », c'est idiot, ajouta Mutti. Et si Max t'appelle parasite parce qu'il va à l'école et pas toi, bientôt il ne le pourra plus.

– Pourquoi ?

– C'était madame Fernand au téléphone. Elle voulait me dire qu'elle a trouvé pour toi une excellente école pas loin d'ici. Avec un peu de chance, tu pourras même commencer dès la semaine prochaine.

15

Le lundi suivant, Anna et sa mère prirent le chemin de l'école communale. Outre son cartable, Anna s'était munie d'une boîte contenant des sandwichs pour son déjeuner. Elle portait, sous son manteau d'hiver, la blouse noire à pinces que Mutti lui avait achetée sur indications de la directrice. Elle en était extrêmement fière : quelle chance que le manteau soit trop court et qu'ainsi tout le monde puisse la voir !

Elles prirent le métro. Il y avait peu de stations, mais il fallait faire deux changements.

– La prochaine fois, on tâchera d'y aller à pied, ça nous fera faire des économies, dit Mutti.

L'école était à deux pas des Champs-Élysées, et le contraste frappait entre la grille vétuste annonçant « École de Filles » et la splendeur de la vaste avenue pleine de magasins luxueux et de terrasses de cafés. L'immeuble noirâtre datait visiblement de l'Ancien Régime ! Elles traversèrent la cour déserte. D'une salle de classe leur parvint le chant d'une chorale. Les cours avaient commencé. En montant les marches de pierre menant au bureau de la directrice, Anna se demanda soudain ce qui l'attendait.

La directrice, grande femme pleine d'énergie, prit la main d'Anna et expliqua à Mutti (qui traduisit pour Anna) qu'elle était désolée qu'il n'y eût personne parlant allemand dans l'école, mais qu'elle espérait bien qu'Anna se mettrait vite au français. Puis Mutti dit : « Je passe te reprendre à quatre heures », et Anna, restée seule face à la directrice, entendit les talons de sa mère claquer en descendant l'escalier.

La directrice sourit à Anna. Anna sourit à la directrice. Mais il était difficile de continuer à sourire à quelqu'un sans rien dire pour accompagner ce sourire et le visage d'Anna commençait à se crisper. La directrice, en proie certainement aux mêmes difficultés, cessa de sourire. Ses doigts pianotant sur son bureau, elle semblait guetter un signal, mais rien ne se faisait entendre et Anna commençait à craindre que l'attente ne se prolongeât jusqu'au soir, quand on frappa à la porte.

« *Entrez !* » dit la directrice et une fillette brune apparut, à peu près de l'âge d'Anna. La directrice poussa une exclamation qui devait vouloir dire « Enfin ! », puis se lança dans une tirade véhémente au bout de laquelle elle se tourna vers Anna pour lui faire comprendre que la brunette s'appelait Colette, et que Colette allait s'occuper d'elle. Du moins, c'est ce qu'Anna crut deviner. La directrice ajouta quelque chose et Colette se mit en marche vers la porte. Anna, ne sachant si elle était censée la suivre, ne bougea pas.

– *Allez ! Allez !* cria la directrice avec un geste comme pour chasser une mouche.

Colette prit Anna par la main et l'entraîna au-dehors.

Sitôt la porte refermée dans leur dos, Colette grimaça en faisant : « *Ouf !* » et Anna se réjouit de constater qu'elle n'était pas la seule à trouver la directrice un peu pénible. Pourvu que tous les professeurs ne soient pas comme elle ! Elles prirent un long couloir et franchirent plusieurs portes. En passant devant une classe, Anna entendit une rumeur de voix françaises. D'autres classes étaient silencieuses – les élèves devaient écrire ou faire des additions. Arrivée à un vestiaire, Colette lui montra où accrocher son manteau, admira son cartable allemand, puis fit remarquer que leurs deux blouses étaient exactement les mêmes – tout cela en un français rapide auquel Anna ne comprit rien mais dont elle devina le sens grâce aux gestes qui se joignaient à la parole.

Colette l'attira vers une autre porte et elles se retrouvèrent dans une grande salle pleine de filles assises chacune à une table, au moins quarante élèves, estima Anna, toutes revêtues de la même blouse noire, et cet uniforme, renchérissant sur la pénombre ambiante, donnait à cette salle de classe une touche générale un peu lugubre.

Les élèves, qui étaient en train de réciter quelque chose en chœur, s'arrêtèrent pour regarder Anna, qui les regarda en retour. Elle se sentait de moins en moins assurée, et se demanda même soudain, dans un accès de panique, si elle allait aimer cette école. Cramponnée à son cartable et à sa boîte à sandwichs, elle tâchait néanmoins de faire bonne figure.

Une main se posa sur son épaule, en même temps qu'une bouffée d'un parfum rehaussé d'une pointe d'ail l'enveloppait.

Elle se retourna et se trouva nez à nez avec un visage ridé mais bienveillant, surmonté de frisettes noires.

– *Bonjour, Anna*, dit ce visage en articulant le plus nettement possible. Je suis ta maîtresse. Je m'appelle madame Socrate.

– *Bonjour, madame*, dit Anna dans un murmure.

– Très bien ! approuva madame Socrate.

Puis, agitant les mains en direction des rangées de tables :

– Ces filles sont dans ta classe, continua-t-elle à voix toujours aussi volontairement intelligible.

Quelque chose suivit où il était question d'« amies ».

Anna s'arracha à la contemplation de madame Socrate pour risquer un coup d'œil du côté des élèves. La plupart avaient cessé de la regarder comme une bête curieuse et maintenant lui souriaient. Elle se sentit bien mieux. Puis Colette la mena à sa place à côté d'elle, et madame Socrate dit quelque chose qui fit que toute la classe – à part Anna – recommença à réciter.

Anna s'assit dans ce concert de voix et elle se demanda ce qui pouvait bien faire la matière de cette récitation. C'était tout de même étrange d'être ainsi en train de suivre un cours auquel on ne comprenait rien. Dans un effort d'attention, elle reconnut au passage quelques nombres proférés à l'unisson. Était-ce une table de multiplication ? Non, les nombres ne revenaient pas assez souvent. Anna jeta un regard oblique sur le livre posé devant Colette. L'illustration de couverture représentait un roi avec sa couronne sur la tête. À l'instant même où madame Socrate signifiait, d'un claquement de mains, la fin de la récitation, Anna comprit que c'était de l'histoire. Les nombres étaient des dates et ç'avait été une leçon d'histoire. Pour une raison indéfinissable, cette découverte lui fut d'un grand réconfort.

À présent les élèves tiraient des cahiers de leurs pupitres et on en donna un tout neuf à Anna. L'exercice suivant consistait en une dictée : Anna reconnut le mot « dictée », car mademoiselle Martel leur en avait fait subir une ou deux, de quelques mots simples, à elle et à Max. Mais là, c'était une autre paire de manches ! Les phrases s'étiraient interminablement et Anna n'en perçait pas même le sens général. Elle ne parvenait même pas à détecter quand l'une finissait et quand l'autre commençait. S'embarquer là-dedans lui paraissait une entreprise désespérée – mais néanmoins préférable à rester assise sans rien écrire. Tant bien que mal, elle transposa donc les sons qu'elle entendait et les arrangea sur sa feuille en groupes de lettres d'un aspect plausible, et lorsqu'elle arriva ainsi au bas d'une page presque entièrement couverte d'aussi approximative façon, il se trouva que la dictée avait pris fin et que les cahiers furent ramassés. La cloche sonna, c'était l'heure de la récréation.

Anna enfila son manteau et suivit Colette dans la cour, rectangle entouré de murs et déjà grouillant de filles. La matinée était froide. Les élèves s'agitaient pour se réchauffer. Dès qu'Anna parut avec Colette, un cercle se forma autour d'elles et Colette fit les présentations. Elle désigna Claudine, Marcelle, Micheline, Françoise, Madeleine... Impossible de se rappeler tous les noms ! Mais toutes souriaient et tendaient la main à Anna, dont le cœur se gonfla de gratitude sous ces marques d'amitié.

Elles jouèrent à un jeu chanté. Unissant leurs bras, elles se mirent à sauter en avant, en arrière et de côté, au rythme de la chanson. Cela commença doucement, mais alla de plus en plus vite, jusqu'à provoquer une mêlée générale qui se termina par une chute de toutes les participantes pêle-mêle, mortes de rire et à bout de souffle. La première fois, Anna se contenta de regarder. Mais la deuxième fois, Colette l'entraîna au milieu des autres et la plaça en bout de file. Elle s'accrocha au bras de Françoise – ou bien était-ce Micheline ? – et fit de son mieux pour suivre les pas. Chaque erreur de sa part provoquait les rires de toutes, mais des rires amicaux et non moqueurs, et quand elle ne se trompa plus, tout le monde fut ravi. Anna, rouge d'excitation, ajouta beaucoup, par sa gaucherie de novice, à l'enchevêtrement des joueuses. Colette n'en pouvait plus de rire. Elle dut s'asseoir. Anna riait aussi comme une folle. Cela faisait si longtemps qu'elle n'avait pas joué avec d'autres enfants ! Quel bonheur de retourner à l'école ! À la fin de la récréation, elle était même capable de chanter les paroles de la chanson, sans rien y comprendre.

Quand elles rentrèrent dans la salle de classe, madame Socrate achevait de couvrir le tableau noir d'additions à faire. Anna se réjouit. Pour calculer, inutile de savoir le français. Elle se mit au travail et ne releva le nez que quand retentit la cloche annonçant la fin de la matinée.

Le repas se prenait dans une petite cuisine où régnait une bonne chaleur et sous la surveillance d'une corpulente personne nommée Clotilde. À peu près toutes les élèves habitaient suffisamment près de l'école pour pouvoir rentrer déjeuner chez elles et il ne restait sur place qu'une autre fille sensiblement plus jeune qu'Anna, sans parler d'un petit garçon d'environ trois ans qui semblait être celui de Clotilde.

Anna sortit ses sandwichs. L'autre fille déballa de la viande et des légumes que Clotilde, pleine d'entrain, mit aussitôt à réchauffer sur le fourneau ; elle avait aussi une part de pudding. C'était un bien meilleur déjeuner, songeait Anna. Cet avis semblait partagé par Clotilde, qui, en voyant les sandwichs, grimaça comme devant de l'arsenic, et cria « Pas bon ! Pas bon ! » en montrant avec insistance le fourneau pour faire comprendre à Anna qu'elle devrait apporter la prochaine fois une autre sorte de repas.

– *Oui*, fit Anna – et elle hasarda même : *Demain*, ce qui déclencha de la part de Clotilde des hochements de tête réjouis.

À peine s'achevait ce dialogue, qui avait duré un certain temps, que la porte s'ouvrait, livrant passage à madame Socrate.

– Ah, dit-elle de son ton posé et délibérément intelligible, je vois que tu parles français. C'est bien.

Le petit garçon de Clotilde se rua sur elle en criant :

– Je sais parler français aussi !

– Oui, mais pas allemand, dit madame Socrate.

Elle lui chatouilla le ventre, ce qui eut pour effet de lui arracher des gloussements de plaisir.

Puis elle fit signe à Anna de la suivre. Elles retournèrent dans la salle de classe et là, madame Socrate fit asseoir Anna et s'installa à côté d'elle. Reprenant le travail de la matinée, elle pointa son index sur l'arithmétique et dit :

– Très bien !

Anna avait à peu près tout bon.

Puis madame Socrate désigna la dictée.

– Très mauvais ! dit-elle – mais avec une figure si comique qu'Anna n'en fut nullement blessée.

Anna regarda son cahier. Sa dictée avait disparu sous un océan d'encre rouge. Presque chaque mot était fautif. Madame Socrate avait dû recopier tout le morceau. En bas de la page, elle avait écrit en rouge : « 142 fautes ». Madame Socrate indiqua le chiffre du doigt en prenant un air de respect, comme impressionnée par ce qui constituait un record ! Mais elle sourit et donna à Anna une petite tape dans le dos en lui signifiant de recopier le corrigé. Anna le fit en s'appliquant beaucoup et bien qu'elle ne comprît toujours pas un traître mot de ce qu'elle écrivait, elle apprécia d'avoir maintenant dans son cahier quelque chose qui ne fût pas entièrement raturé.

L'après-midi, il y avait dessin et Anna exécuta un chat qui fit l'admiration de la classe et dont elle fit cadeau à Colette en remerciement de son aide. Colette lui dit, dans son mélange de français rapide et de gestes, qu'elle l'accrocherait au mur de sa chambre.

À quatre heures, quand Mutti reparut, Anna respirait la joie de vivre.

– Alors, cette école ? Comment était-ce ? demanda Mutti.

– Pas mal ! fit Anna.

Elle ne sentit sa fatigue qu'en arrivant à la maison, mais ce soir-là, pour la première fois depuis des semaines, il n'y eut pas de dispute avec Max. Le lendemain aussi fut très fatigant, ainsi que le surlendemain, mais le jour d'après était un jeudi, jour sans école en ce temps-là en France : Max et elle avaient toute une journée pour eux.

– Qu'est-ce qu'on va faire ?

– Prenons notre argent et allons au *Prisunic*, dit Anna.

C'était un grand magasin que Mutti et elle avaient découvert à la faveur d'une de leurs expéditions de ravitaillement. Tout y était très bon marché – en fait, rien dans tout le magasin ne coûtait plus de dix francs. On y trouvait des jouets, des articles ménagers, des fournitures de papeterie et jusqu'à des vêtements. Anna et Max passèrent une bonne heure à sélectionner les différentes merveilles qui se trouvaient dans leurs moyens financiers, depuis la savonnette jusqu'à la demi-paire de chaussettes, pour en ressortir finalement titulaires chacun d'une toupie, avec laquelle ils allèrent jouer jusqu'au soir dans un petit square du quartier.

– Tu aimes ton école ? demanda Max à brûle-pourpoint sur le chemin du retour.

– Oui, dit Anna. Tout le monde est gentil avec moi, ça n'a pas l'air de les déranger que je ne comprenne rien à ce qu'ils me disent. Mais pourquoi tu le demandes ? Tu n'es pas content de la tienne ?

– Oh si, fit Max. Eux aussi sont gentils avec moi, et je commence à comprendre un peu le français...

Il se tut. Mais au bout d'un moment il reprit avec une certaine véhémence :

– Mais il y a quelque chose que je déteste vraiment !

– Quoi donc ?

– Eh bien... ça ne te gêne pas, toi ?... Je veux dire : d'être différente de tout le monde ?

– Non, dit Anna en jetant un coup d'œil vers son frère.

Il portait un bermuda dont il avait même retroussé les jambes pour les raccourcir encore. Son écharpe était rentrée dans le col de sa veste et ses cheveux étaient brossés d'une manière inhabituelle.

– Tu as tout à fait l'air d'un garçon français, pourtant.

Le visage de Max s'illumina, mais reprit presque aussitôt son expression maussade.

– Je ne parle pas comme un garçon français.

– C'est normal, après si peu de temps ! dit Anna. Mais je suis sûre que nous y arriverons tôt ou tard, toi et moi.

Max pressa le pas, comme pris d'un accès de férocité. Puis il dit :

– Dans mon cas, je te prie de croire que ça va être tôt, et non tard !

Il prononça cela en prenant une tête si farouche qu'Anna, qui le connaissait pourtant bien, fut étonnée. Elle n'avait jamais vu autant de détermination sur son visage.

16

Un jeudi après-midi, quelques semaines après son entrée à l'école, Anna alla avec sa mère rendre visite à grand-tante Sarah. Grand-tante Sarah était la sœur d'Omama. Elle avait épousé un Français dont elle était veuve, et vivait à Paris depuis trente ans. Mutti, qui ne l'avait pas revue depuis son enfance, s'était mise sur son trente-et-un pour l'occasion. Elle était si pimpante et si jeune d'allure dans son beau manteau et sous son chapeau bleu avec voilette que plusieurs messieurs se retournèrent sur elle dans la rue jusqu'à l'avenue Foch, où habitait grand-tante Sarah. Anna aussi avait mis ses plus beaux habits, à savoir le gilet tricoté par Mutti, ses chaussures neuves, de nouvelles socquettes et le bracelet d'oncle Julius ; mais sa jupe et son manteau paraissaient terriblement courts. Mutti soupira, comme toujours en voyant sa fille en tenue de sortie.

– Il va falloir que je demande à madame Fernand de faire quelque chose pour ton manteau. Si tu continues à grandir, il ne te couvrira bientôt plus les fesses !

– Qu'est-ce qu'elle peut faire, madame Fernand ?

– Je ne sais pas. Peut-être rajouter une bande d'étoffe sous l'ourlet, ou quelque chose dans ce genre... J'aimerais bien me débrouiller comme elle en couture !

Mutti et Vati avaient dîné chez les Fernand et Mutti était revenue pleine d'admiration. Non seulement madame Fernand cuisinait comme un cordon-bleu, mais elle confectionnait elle-même tous ses habits et ceux de sa fille. Elle rembourrait et tapissait aussi les fauteuils, et trouvait le temps de faire à son mari une robe de chambre et des pyjamas de la couleur qu'il voulait, des pièces introuvables dans le commerce !

– Et tout ça avec une facilité ! s'exclamait Mutti pour qui coudre un bouton était la croix et la bannière. On a l'impression qu'elle s'amuse !...

Madame Fernand avait proposé son aide pour les vêtements d'Anna, mais Mutti avait commencé par refuser catégoriquement : il ne fallait pas abuser, tout de même ! Au spectacle d'Anna débordant littéralement de son manteau, Mutti éprouvait les premiers tiraillements de la tentation.

– Je pourrais lui demander de me montrer au moins comment m'y prendre, et après je pourrais peut-être continuer toute seule...

Elles arrivaient. Grand-tante Sarah demeurait dans un immeuble en retrait. Il fallait traverser une courette plantée d'arbres pour atteindre l'entrée. Le concierge, en uniforme à galons et boutons dorés, leur indiqua l'étage. L'ascenseur était une cage de verre épais qui fonctionnait en souplesse, sans les râles et convulsions auxquels Anna était accoutumée. Une femme de chambre en tablier blanc à volants et toque blanche vint leur ouvrir.

– Je vais vous annoncer à Madame, dit-elle – et elle disparut dans ce qui devait être un salon.

Mutti s'assit sur une petite chaise tapissée de velours. Des voix se faisaient entendre derrière la porte.

– J'espère que nous ne nous sommes pas trompées de jour, s'inquiéta Mutti.

Mais presque aussitôt la porte se rouvrit et grand-tante Sarah jaillit dans l'antichambre, vieille dame remarquablement légère pour son tour de taille et qui fondit sur les deux visiteuses avec une telle impétuosité qu'Anna craignit qu'elle ne pût pas freiner à temps.

– Mais ! cria la vieille dame en lançant ses gros bras autour du cou de Mutti. Ainsi te voilà !... Cela fait si longtemps !... Et il se passe des choses si terribles en Allemagne ! Enfin ! tu es saine et sauve, c'est tout ce qui compte...

Elle se laissa tomber sur une même chaise

tapissée de velours qui ploya sous sa masse, et reprit à l'adresse d'Anna :

– Vois-tu, la dernière fois que j'ai vu ta maman, c'était une petite fille. Et maintenant c'est elle qui a une petite fille !... Comment t'appelles-tu ?

– Anna.

– Hannah – quel beau nom juif ! s'exclama la vieille dame.

– Pas Hannah : Anna, sans « h », dit Anna.

– Oh ! Anna ? C'est très joli aussi !... Tu dois me pardonner, ajouta grand-tante Sarah en se penchant dangereusement sur sa chaise, je suis un peu sourde.

Elle entreprit un examen détaillé de sa petite-nièce et laissa échapper un cri de surprise :

– Bonté divine ! Mon enfant, que tu as de longues jambes !... N'ont-elles pas froid ?

– Non, répondit Anna, mais maman dit que si je grandis encore, mon manteau ne me couvrira bientôt plus les fesses...

Aussitôt prononcées, Anna voulut ravaler ces paroles : ce n'était pas le genre de choses à dire à une grand-tante qu'on voyait pour la première fois.

– Comment ? fit grand-tante Sarah.

Anna se sentit rougir.

– Attends voir, dit grand-tante Sarah.

Et elle chercha quelque part dans les replis de

son imposante personne un objet en forme de trompette qu'elle brandit triomphalement.

– Voilà, dit-elle en installant l'instrument non à sa bouche comme on aurait pu s'y attendre, mais à son oreille. Voilà, maintenant, répète, mon enfant. Parle très fort dans mon cornet !

Anna fit un effort désespéré pour trouver à dire une autre phrase que celle qu'elle avait prononcée, mais l'inspiration ne vint pas. Alors elle répéta d'une voix forte à l'intérieur du cornet :

– Maman dit que si je continue à grandir, mon manteau ne me couvrira plus les fesses !

En reculant son visage, elle sut qu'il avait pris une couleur écarlate.

Grand-tante Sarah sembla d'abord un peu déconcertée par cette déclaration. Puis sa figure se plissa et elle laissa échapper un son à mi-chemin entre le cri du dindon et celui de la hulotte.

– C'est vrai ! cria-t-elle en roulant ses yeux noirs. Ta maman a raison ! Mais que va-t-elle faire pour empêcher cela ? Hein ?

Puis, se tournant vers Mutti :

– Quelle mignonne petite ! Tu as une bien mignonne et rigolote petite fille ! (Elle se leva avec une agilité surprenante.) Maintenant, venez donc prendre une tasse de thé. J'ai ici au salon quelques vieilles dames venues jouer au bridge, mais soyez sans inquiétude : je vais les mettre à la porte. Allons, venez !

Elle les précéda dans le salon de son galop d'écureuil.

La première caractéristique des vieilles dames en question était de paraître bien plus jeunes que grand-tante Sarah. Anna en compta une petite douzaine, toutes vêtues avec élégance et chapeautées d'édifices complexes. Elles avaient terminé leur bridge – les tables étaient repoussées contre le mur – et avaient attaqué la suite des réjouissances, consistant à boire du thé en grignotant des petits biscuits que la femme de chambre leur présentait sur un plateau d'argent.

– Elles viennent tous les jeudis, expliqua grand-tante Sarah en allemand et à voix basse. Pauvres chères amies ! Elles n'ont rien de mieux à faire... Mais elles sont toutes riches comme Crésus, et elles me donnent de l'argent pour mes enfants nécessiteux...

Anna, qui se remettait tout juste de la surprise que lui avait causée l'aréopage des « vieilles dames » de grand-tante Sarah, trouva encore plus difficile d'imaginer celle-ci mère d'enfants nécessiteux, et même mère d'enfants tout court. Mais elle n'eut pas le temps de réfléchir plus à fond au problème, car elle était annoncée à grand bruit.

– Voici ma nièce et sa fille, qui arrivent

d'Allemagne, criait grand-tante Sarah en un français à fort accent germanique.

Puis, à l'adresse d'Anna :

– *Dis bonchour, ma pétite !*

– *Bonjour*, dit Anna.

Grand-tante Sarah joignit les mains d'admiration.

– Écoutez-moi cette enfant ! Elle n'est pas en France depuis six semaines et elle parle déjà mieux que moi !...

Anna éprouva quelques difficultés à se maintenir à la hauteur du compliment quand une des vieilles dames s'avisa de vouloir lui faire la conversation. Mais les plus gros efforts lui furent épargnés par la voix de grand-tante Sarah, qui s'éleva de nouveau en couvrant toutes les autres.

– Je n'ai pas vu ma nièce depuis des siècles, criait-elle, et j'ai hâte d'avoir enfin un entretien en tête à tête.

Ce qu'entendant, les vieilles dames avalèrent docilement leur thé et se levèrent pour prendre congé. En serrant leurs mains, grand-tante Sarah leur tendait une boîte et les remerciait de bien vouloir y laisser tomber quelque argent. Anna se demanda à combien se montaient les effectifs d'enfants nécessiteux de grand-tante Sarah. La femme de chambre reconduisit chacune des invitées jusqu'à la porte. Bientôt, elles eurent toutes disparu.

C'était fort bien de se retrouver entre soi, mais Anna déplora que le plateau d'argent et les biscuits aient disparu en même temps que les dames. La femme de chambre enlevait les tasses vides et débarrassait tout. Grand-tante Sarah avait dû oublier sa promesse d'un thé. Assise sur le canapé avec Mutti, elle l'entretenait de ses enfants nécessiteux, et il en ressortait finalement que ces petits déshérités n'avaient aucun lien de parenté avec grand-tante Sarah, mais appartenaient en fait à une œuvre charitable pour laquelle elle ne faisait que collecter des fonds. Anna, qui s'était imaginée sa grand-tante à la tête d'une portée clandestine de gamins en haillons, fut un peu déçue. Elle se tortilla sur sa chaise, ce dont grand-tante Sarah s'aperçut, faut-il croire, car elle s'interrompit tout net.

– L'enfant s'ennuie et a faim ! s'écria-t-elle – et elle appela la femme de chambre : Toutes les vieilles toupies ont-elles filé ? Bon ! Alors vous pouvez servir le vrai thé !...

Quelques minutes plus tard, la femme de chambre arriva, flageolant sous le poids d'un plateau couvert de pâtisseries. Il pouvait y avoir cinq ou six sortes de gâteaux, sans parler d'un assortiment de sandwichs et de biscuits. Il y avait aussi une théière, une chocolatière et un pot de crème fouettée.

– Eh oui ! J'aime les gâteaux ! cria grand-tante Sarah en voyant Mutti ouvrir de grands yeux devant cet arrivage. Mais que veux-tu ! ça ne sert à rien d'en offrir à ces vieilles dindes qui font bien trop attention à leur régime !... Alors je me suis dit que nous prendrions notre thé à nous tranquillement après leur départ.

Ce disant, elle servit sur une assiette une large portion de clafoutis aux pommes, la nappa de crème fouettée et la tendit à Anna.

– L'enfant a besoin de s'alimenter.

Durant ce « thé », elle posa un tas de questions à Mutti sur le travail de Vati, sur leur appartement à Paris, etc., et Mutti devait parfois répéter ses réponses dans le cornet acoustique. Mutti parlait de tout cela avec bonne humeur, ce qui n'empêchait pas grand-tante Sarah de hocher sombrement la tête en répétant : « Quelle misère ! Un homme si distingué, vivre dans de telles conditions !... »

Elle connaissait par cœur tous les livres de Vati et achetait chaque jour *Le Parisien quotidien* exprès pour y lire ses articles.

De temps en temps ses yeux se posaient sur Anna, alors elle soupirait : « Et cette enfant qui est si maigre ! » – et lui resservait du clafoutis.

Enfin, quand personne ne put plus rien avaler, grand-tante Sarah se dégagea de la table à thé et reprit son galop d'écureuil en direction de la porte tout en criant à Mutti et à Anna de la suivre. Elles arrivèrent dans une chambre presque entièrement pleine de caisses en carton.

– Regardez, vociféra grand-tante Sarah, tout ça m'a été donné pour mes enfants nécessiteux !

Les caisses étaient remplies de morceaux de tissus de toutes sortes de couleurs et de qualités.

– Une de mes vieilles dames est mariée à un patron du textile, expliqua grand-tante Sarah. Il roule sur l'or et me fait cadeau de toutes les chutes de pièces inutilisables. Et j'ai une idée ! Pourquoi l'enfant n'en bénéficierait-elle pas ?... Après tout, elle n'est pas moins nécessiteuse que les autres...

– Oh ! non, fit Mutti. Je ne crois pas que je pourrai...

– Ach ! Toujours aussi fière, hein ?... Allons, allons ! dit grand-tante Sarah. L'enfant a besoin de nouveaux habits. Pourquoi l'en priver ?

Elle fourragea dans un carton et en tira un épais tissu de laine d'un joli ton vert.

– Très bien pour un manteau ! hurla-t-elle. Mais il en faut suffisamment pour une robe, et peut-être pour une jupe aussi...

En un rien de temps elle avait entassé des coupons sur le lit et comme Mutti persistait à faire mine de refuser, elle vociféra :

– Ne sois pas idiote ! Tu préfères que l'enfant aille les fesses à l'air et que la police l'arrête ?

Mutti, qui du reste n'avait pas mis grande conviction à son refus, se rendit à cet argument et se mit à rire. Ordre fut donc donné à la femme de chambre d'empaqueter le tissu et cela fit deux gros colis à porter, un pour Mutti et l'autre pour Anna, au moment de partir.

– Merci beaucoup, beaucoup ! jeta Anna dans le cornet acoustique. J'ai toujours rêvé d'un manteau vert !

– J'espère que la couleur te portera chance ! hurla grand-tante Sarah.

On se quitta.

En rentrant à pied dans la nuit, Anna et sa mère parlèrent durant tout le trajet des différents coupons et de ce qu'il serait possible d'en tirer. Sitôt à la maison, Mutti se rua sur le téléphone et appela madame Fernand, qui se déclara ravie qu'on fît appel à elle et dit d'apporter tout cela chez elle le jeudi suivant, pour une grande séance de couture.

– Formidable ! se réjouit Anna. Vite, il faut dire ça à papa !

Vati entrait justement. Anna lui raconta leur visite en sautant d'excitation.

– Je vais avoir une robe et un manteau ! babillait-elle. Grand-tante Sarah nous a donné tout ça parce que c'était pour des enfants nécessiteux. Et elle a dit que j'étais aussi nécessiteuse que les autres. Et nous avons pris un thé comme tu n'imagines pas. Et...

Elle s'arrêta en voyant le visage de son père se décomposer.

– Qu'est-ce que c'est que ce déballage ? demanda Vati à Mutti.

– Mon Dieu, c'est ce que te dit Anna... fit Mutti d'une voix hésitante. Grand-tante Sarah a reçu du tissu, et elle voulait qu'Anna en profite...

– Ce tissu, on le lui a donné pour des enfants nécessiteux ?

– C'est une façon de parler, dit Mutti. Grand-tante Sarah s'occupe de bonnes œuvres et d'associations charitables... C'est une femme très bonne, tu sais...

– Associations charitables ? dit Vati. Je n'accepte pas la charité pour mes enfants.

– Oh ! ce que tu peux être compliqué ! Cette femme est ma tante et elle a voulu donner de quoi faire quelques habits à Anna, c'est tout ! N'en fais pas un drame !

– Honnêtement, papa, je ne crois pas qu'elle l'ait fait pour t'embêter, ajouta Anna, qui se sentait misérable et aurait presque souhaité n'avoir jamais vu le tissu.

– C'est juste un cadeau pour Anna, de la part d'une de ses parentes ! dit Mutti.

– Non, dit Vati. C'est le cadeau d'une parente qui s'occupe de charité, et de charité pour les petits pauvres !

– Très bien ! Alors nous le lui rapporterons, si c'est ce que tu veux ! cria Mutti. Mais d'après toi, qu'est-ce que cette enfant va se mettre sur le dos ? Sais-tu combien coûtent les vêtements pour une fille de son âge dans les magasins ? Regarde-la ! Regarde-la seulement, je te prie !...

Vati considéra Anna, qui le considéra en retour. Elle avait vraiment envie de nouveaux habits, mais pas au point de chagriner son père à cause d'eux. Elle tira sur sa jupe pour la faire descendre plus bas.

– Papa... commença-t-elle.

– Le fait est, dit Vati, que tu as l'air un peu nécessiteuse.

Son visage exprimait une grande fatigue.

– Tu sais, dit Anna, je m'en fiche.

– Non, dit Vati. Tu ne t'en fiches pas.

Il tâta le tissu au milieu du papier d'emballage.

– C'est le tissu en question ?

Anna fit oui de la tête.

– Dans ce cas, tu ferais bien d'en faire faire au plus tôt des habits neufs, dit Vati.

Il ajouta : « Quelque chose de chaud, surtout ! » et sortit de la pièce.

*

Ce soir-là, une fois au lit, Anna et Max discutèrent dans le noir.

– Je ne savais pas qu'on était si pauvres, dit Anna. Pourquoi le sommes-nous ?

– Papa ne gagne pas grand-chose, dit Max. *Le Parisien quotidien* ne peut pas le payer beaucoup pour ses articles, et les journaux français ont leurs propres rédacteurs.

– Pourtant on le payait beaucoup en Allemagne ?

– Eh oui…

Un silence passa.

– C'est drôle, non ? reprit Anna.

– Quoi ?

– D'avoir cru que nous rentrerions en Allemagne dans les six mois… Ça fait plus d'un an que nous sommes à l'étranger.

– C'est vrai, dit Max.

Anna, brutalement, fut frappée par le souvenir de leur maison à Berlin… Elle revoyait les lieux, grimpait l'escalier quatre à quatre, sentait sous ses pieds la moquette du palier. Elle revoyait l'endroit où elle avait renversé de l'encre, une fois, et revoyait les poiriers du jardin par la fenêtre…

Les rideaux de leur chambre étaient bleus, et il y avait une petite table peinte en blanc sur laquelle on écrivait ou dessinait, et Bertha, la bonne, la nettoyait tous les jours, et il y avait des jouets partout...

Mais à quoi bon repenser à tout ça ?

Elle ferma les yeux, et s'endormit.

17

La séance de confection chez les Fernand fut un succès. Madame Fernand était tout aussi gentille que s'en souvenait Anna et elle tailla le tissu de grand-tante Sarah si astucieusement qu'on put faire une culotte courte pour Max en plus du manteau, de la robe et de la jupe. Mutti avait proposé son aide, mais madame Fernand l'avait regardée d'un œil moqueur en disant :

– Allez donc jouer du piano, je vais m'occuper de ça.

– Mais j'ai apporté mon nécessaire à couture ! protesta Mutti en extirpant de son sac une bobine de fil blanc piquée d'une aiguille.

– Ma chère, répondit madame Fernand d'une voix enjouée, je ne vous confierais même pas l'ourlet d'un mouchoir...

Mutti se mit donc au piano, tandis qu'à l'autre coin du joli salon madame Fernand cousait. Anna et Max allèrent jouer avec Francine, la fille des Fernand.

À propos de Francine, Max avait émis de sérieuses réserves avant d'arriver.

– Je ne veux pas jouer avec une fille ! Et d'abord je ne peux pas venir, à cause de mes devoirs !

– C'est bien la première fois que je t'entends te soucier de tes devoirs ! avait rétorqué Mutti – ce qui était un peu injuste, car ces derniers temps, dans un magnifique effort pour progresser en français, Max était devenu bien plus consciencieux pour son travail scolaire.

Profondément offensé par l'allusion maternelle, il fit le chemin en fusillant des yeux tout ce qui passait à sa portée. Mais cette expression meurtrière s'évanouit comme par enchantement quand Francine vint leur ouvrir la porte. C'était une véritable beauté, avec des cheveux de miel et d'immenses yeux gris.

– Tu dois être Francine, dit Max – et il ajouta hypocritement mais dans un français correct : J'étais très impatient de te connaître.

Francine possédait beaucoup de jouets et un gros chat blanc.

Le chat prit aussitôt possession des genoux d'Anna, tandis que Francine fouillait dans son placard à jouets.

– Regardez ce que j'ai reçu pour mon anniversaire, dit-elle enfin en sortant un assortiment de jeux très semblable à celui qu'Anna et Max avaient possédé en Allemagne.

Ils échangèrent un coup d'œil par-dessus la fourrure blanche du chat.

– Tu permets ? dit Max.

Il ouvrit la boîte sans attendre la réponse et se plongea dans la contemplation de son contenu, touchant du doigt les dés, le jeu d'échecs, les cartes, etc.

– On en avait une comme ça, dit-il enfin. La nôtre avait aussi des dominos...

Francine, un peu décontenancée par ce qui pouvait être un dénigrement de son cadeau d'anniversaire, demanda :

– Que lui est-il arrivé, à la vôtre ?

– Il a fallu qu'on l'abandonne. Et je suis sûr, ajouta Max avec mélancolie, que Hitler s'amuse avec, à l'heure qu'il est...

Francine rit.

– Eh bien, dit-elle, servez-vous de celle-ci à la place. Je n'ai ni frère ni sœur, et je n'ai pas souvent quelqu'un avec qui jouer...

Ils jouèrent au ludo, au nain jaune et à la puce tout l'après-midi. L'avantage, c'est qu'il n'y avait pas besoin de beaucoup parler français pour ces jeux. Le chat blanc ne quittait pas les genoux d'Anna et semblait approuver tout ce qui se passait au-dessus de sa tête. Il ne bougea qu'à regret lorsqu'elle fut appelée par madame Fernand pour un essayage. Au moment du goûter il mangea une miette de gâteau glacé que lui présenta Anna et remonta sur ses genoux en lui adressant un regard de gratitude à travers son épaisse fourrure blanche. Quand il fut l'heure de partir, il la suivit jusqu'à la porte.

– Quel beau chat ! dit Mutti en le voyant.

Anna faillit dire qu'elle l'avait eu sur les genoux pendant tout le temps qu'ils avaient joué, mais elle pensa que ce serait impoli de parler allemand devant madame Fernand qui ne comprendrait pas, et l'expliqua dans un français maladroit.

– Et vous qui me disiez qu'Anna parlait à peine français ! s'exclama madame Fernand.

– Elle commence, dit Mutti qui se gonflait d'orgueil.

– Elle commence ! Mais je n'ai jamais vu deux enfants apprendre si vite une langue étrangère !... À voir Max, on jurerait un garçon français. Et Anna, il y a seulement deux mois elle ne pouvait pas dire un mot, et maintenant elle comprend tout !...

Madame Fernand exagérait. Il restait pas mal de choses qu'Anna ne comprenait pas. Mais quel beau compliment ! Anna, obsédée par les rapides progrès de Max, n'avait pas songé à constater qu'elle en faisait elle-même.

Madame Fernand les invita tous à revenir le

dimanche suivant pour procéder à l'essayage final, mais Mutti refusa, disant que c'était au tour des Fernand de venir – et c'est ainsi que des visites réciproques et régulières devinrent une habitude, pour le plus grand agrément des deux familles.

Vati raffolait de la compagnie de monsieur Fernand, homme de haute taille aux yeux pleins de finesse, et souvent, tandis que les enfants jouaient à la salle à manger, Anna pouvait entendre sa voix grave répondre à celle de Vati dans la chambre-changée-en-salon. Ils paraissaient tous deux avoir un tas de choses à se dire et se mettaient parfois à rire ensemble.

Anna s'en réjouissait. Elle avait détesté cette lassitude qu'elle avait surprise dans le regard de son père le jour du cadeau de grand-tante Sarah, et ce regard fatigué revenait de temps à autre, en général quand Mutti parlait d'argent. Monsieur Fernand se montrait toujours l'antidote le plus efficace contre le regard fatigué.

Les nouveaux habits furent bientôt prêts. Anna les trouva les plus beaux qu'elle eût jamais possédés. La première fois qu'elle les mit, elle courut se faire admirer par grand-tante Sarah en emportant, pour le lui lire, un poème de remerciement spécialement composé.

Ce poème décrivait en détail chaque vêtement et se terminait par ces vers :

Et désormais je vais,
Somptueuse, élégante,
Porteuse des bienfaits
De Sarah ma grand-tante.

– Bonté divine ! s'écria grand-tante Sarah au terme de cette lecture. Tu deviendras écrivain, comme ton père !

Elle manifesta tous les signes de la plus grande joie. Anna n'était pas mécontente non plus de son œuvre. Elle pensait avoir assez nettement réussi à signifier dans son poème que le cadeau du tissu n'avait pas été une charité.

Elle était contente aussi parce que c'était la première fois de sa vie qu'elle arrivait à écrire sur autre chose qu'une catastrophe.

18

En avril le printemps arriva sans crier gare et le manteau de madame Fernand fut soudain beaucoup trop chaud, malgré le désir qu'avait Anna de continuer à le porter.

La marche à pied pour aller à l'école devenait un délice en ces matins radieux.

Aux parfums du printemps se mêlaient toutes sortes d'odeurs intéressantes s'échappant des fenêtres que les Parisiens laissaient ouvertes pour profiter de l'air chaud. Hormis le sempiternel relent d'ail montant des grilles du métro circulaient des effluves de café, de pain frais ou d'oignons mis à frire en vue du déjeuner. À mesure que la belle saison avançait, les portes s'ouvraient sur la rue comme les fenêtres et le regard pouvait s'introduire dans la pénombre intime des cafés et des boutiques, dont on n'avait rien vu de l'hiver. Dans une frénésie collective de bain de soleil, les trottoirs des Champs-Élysées devinrent une mer de tables et de chaises entre lesquelles les garçons en tablier blanc tourbillonnaient, servant des boissons aux clients.

Le 1er mai, « jour du muguet », des paniers débordant de petits bouquets vert et blanc apparurent à chaque coin de rue et partout retentissait le cri des vendeurs. Vati ayant un rendez-vous en début de matinée, il fit un bout de chemin avec Anna. Il s'arrêta pour acheter un journal à un vieux monsieur dans un kiosque. À la première page se trouvait une photo de Hitler en train de faire un discours ; mais le vieux marchand plia le journal de telle sorte que Hitler disparut ; puis, le nez au vent comme un chien de chasse, il le tendit à Vati avec un sourire qui découvrit une dent unique et en disant :

– Ça sent le printemps !

Vati lui rendit son sourire, et Anna sentit combien son père s'estimait heureux de pouvoir passer ce printemps à Paris. Au coin suivant ils achetèrent un brin de muguet pour Mutti sans regarder à la dépense.

L'école semblait un peu froide et sombre après la luminosité de la rue, mais Anna avait hâte, chaque matin, de retrouver Colette, devenue son « inséparable », et aussi de retrouver madame Socrate. La journée de classe continuait à lui paraître physiquement longue et relativement pénible, mais elle s'y faisait peu à peu. Le nombre de ses fautes dans les dictées diminuait, peu à peu ramené de plusieurs centaines à pas plus de quinze environ, grâce à madame Socrate qui la prenait à part à l'heure du déjeuner. Elle arrivait même maintenant de temps en temps à poser une question pendant le cours.

À la maison on enregistrait une autre sorte de progrès : ceux de Mutti, sous les conseils de madame Fernand, dans le domaine de la cuisine. Vati allait jusqu'à prétendre qu'il n'avait jamais aussi bien mangé de sa vie. Les enfants se familiarisaient avec une gastronomie dont ils n'avaient jamais eu idée auparavant. Ils buvaient à table du vin coupé d'eau, tout comme de vrais petits Français. Même la grosse Clotilde incrustée dans sa cuisine à l'école daignait approuver les repas qu'Anna lui apportait maintenant à réchauffer.

– Ta mère a le tour de main, disait-elle – commentaire dont Mutti se montra vivement flattée quand Anna le lui rapporta.

Seule Grete conservait envers et contre tout son amabilité de porte de prison. Quoi que Mutti apportât sur la table, elle le comparait à quelque spécialité autrichienne et la comparaison n'était jamais en faveur du plat français. Bref, ce n'était pas mangeable. Grete développait en elle une allergie radicale à tout ce qui se rapportait à la France et aux Français, et pour ce qui était de la langue, elle en était restée au même point de nullité en dépit de cours quotidiens. Et comme les promesses faites à sa mère continuaient à la rendre d'une aide pratiquement nulle pour Mutti, c'est avec impatience que tout le monde attendait le jour où elle retournerait pour de bon en Autriche.

– Le plus tôt sera le mieux, disait madame Fernand qui avait eu tout loisir d'observer le phénomène de près, les deux familles passant la plupart de leurs dimanches ensemble.

Alors que le printemps se changeait en été, au lieu de rester enfermé dans l'un ou l'autre appartement, tout le monde prit l'habitude de partir pour le bois de Boulogne, qui n'était pas loin, et les enfants jouaient au ballon sur les pelouses. Une ou deux fois monsieur Fernand emprunta la voiture d'un ami et les emmena pique-niquer à la campagne. À la grande joie d'Anna, le chat était de la partie. Apparemment il ne se formalisait pas d'être tenu en laisse, ce dont se chargeait Anna, laissant Francine et Max s'amuser de leur côté. Elle tenait fièrement la laisse, retenant l'animal quand il voulait grimper à un arbre ou à un réverbère, ou levant bien haut le bras quand il choisissait de marcher dans les hauteurs au lieu de continuer par terre.

*

En juillet la chaleur arriva, bien plus forte qu'on ne l'avait connue à Berlin. Mutti avait beau ouvrir toutes les fenêtres, l'air manquait dans le petit appartement. La chambre des enfants surtout était une fournaise à cause de la chaleur qui montait de la cour. Difficile d'arriver à dormir la nuit, et le jour pas moyen de se concentrer sur son travail à l'école ! Du reste madame Socrate accusait elle-même une certaine fatigue. Ses frisettes noires pendouillaient dans la canicule. On attendait avec impatience la fin du trimestre.

Le 14 juillet, non seulement les écoles mais toute la France fut en vacances. L'anniversaire de la Révolution fut célébré avec de nombreux drapeaux tricolores et feux d'artifice. Anna et Max allèrent voir ces derniers, emmenés par leurs parents et les Fernand. Le métro était bondé de gens hilares. On gravit un interminable escalier grouillant de monde et conduisant à une basilique au sommet d'une butte. De là, le regard embrassait tout Paris. Et quand commencèrent à éclater les gerbes de lumière dans le ciel nocturne, ce ne fut qu'une clameur de joie. Après le bouquet, une voix entonna *La Marseillaise*, bientôt accompagnée par d'autres, et pour finir la foule entière se trouva en train de chanter d'une seule poitrine dans la nuit chaude.

– Chantez, les enfants ! dit monsieur Fernand.

Anna et Max firent de leur mieux. Anna trouvait l'hymne très beau, surtout le passage plus lent auquel on ne s'attendait pas, vers le milieu. Elle fut navrée que cela finît.

La foule redescendit l'escalier et Mutti annonça :

– Maintenant, à la maison et au lit !

– Grand Dieu ! s'écria monsieur Fernand. Vous ne pouvez pas les envoyer se coucher tout de suite ! C'est le 14 Juillet !

Mutti protesta. Il était tard.

– Voyons ! Le 14 Juillet ! répétèrent les Fernand en riant. La soirée ne fait que commencer...

Mutti jeta un coup d'œil peu convaincu sur les enfants qui trépignaient d'excitation.

– Mais enfin... commença-t-elle.

– D'abord il faut aller souper, la coupa monsieur Fernand.

Anna pensait avoir déjà dîné, puisqu'ils avaient mangé des œufs à la coque avant de sortir, mais à l'évidence cela ne constituait pas la sorte de repas que monsieur Fernand avait en tête. Il les emmena dans un grand restaurant bourré de monde, et ils s'assirent à une table dehors, sur le trottoir, et demandèrent la carte.

– Des escargots pour les enfants ! commanda monsieur Fernand. Ils n'en ont jamais mangé.

Quand Max vit arriver sa portion, il la considéra avec une horreur mêlée de fascination, et fut incapable d'y toucher. Anna, encouragée par Francine, fit un essai et trouva que cela avait un délicieux goût de champignon. Finalement Francine et elle se partagèrent les escargots de Max. Au dessert, au moment des choux à la crème, on vit arriver un vieil homme porteur d'un tabouret et d'un accordéon, qui s'assit sur le tabouret et commença à jouer. Des dîneurs se levèrent et se mirent à danser dans la rue. Un matelot, un peu éméché, s'approcha de Mutti pour l'inviter, et Mutti, surprise, accepta, et maintenant elle tournait, tournait dans les bras du matelot, l'air étonné et content. Monsieur Fernand dansa avec Francine. Anna dansa avec Vati. Mais madame Fernand assura qu'elle n'avait aucune envie de danser, au grand soulagement de Max qui visiblement n'avait pas plus envie qu'elle. Au bout de quelque temps, monsieur Fernand dit :

– Allons-nous-en.

La nuit avait fraîchi. Anna n'avait plus du tout sommeil. Ils marchèrent par les rues pleines de gens qui dansaient au son d'autres accordéons, et çà et là ils s'arrêtaient pour se joindre à eux. Des cafés servaient le vin gratis pour célébrer l'événement : les parents en burent, tandis que les enfants avaient droit à du sirop de cassis. La Seine coulait comme de l'argent sous la lune et Notre-Dame se détachait sur le ciel, tel un mammouth noir sorti des temps préhistoriques pour venir s'abreuver. Ils suivirent la berge, et sous chaque pont on retrouvait un accordéon et des danseurs. Ils continuèrent tant et plus, jusqu'à ce qu'Anna perde toute notion de l'heure et à présent elle se contentait de marcher derrière monsieur Fernand dans un brouillard de fatigue heureuse.

Soudain Max demanda :

– Qu'est-ce que c'est que cette drôle de lumière dans le ciel ?

C'était l'aube.

Ils avaient atteint le quartier des Halles, où régnait le trafic des camions roulant à grand fracas sur le pavé pour apporter de pleines cargaisons de fruits et de légumes.

– On a faim, hein ? fit monsieur Fernand.

C'était absurde, puisqu'on avait déjà dîné deux fois ; néanmoins tout le monde avait l'estomac dans les talons. Ici, pas d'accordéons, seulement des travailleurs préparant leur journée. Une femme, dans un bistrot, servait des bols de soupe à l'oignon fumante. Ils en commandèrent de bien pleins et les burent assis sur des banquettes de bois parmi les porteurs et les livreurs, et en saucèrent le fond avec des morceaux de pain. Quand ils ressortirent du bistrot, il faisait grand jour.

– Maintenant vous pouvez les mettre au lit, dit monsieur Fernand. Ils ont eu leur 14 Juillet.

Les au revoir furent ensommeillés. On rentra chez soi par le métro, où les couche-tard comme eux côtoyaient les gens se rendant au travail. À la maison, on s'abattit sur son lit.

– En Allemagne, nous n'avons jamais eu notre 14 Juillet, remarqua Anna sur le point de s'endormir.

– Normal, dit Max. En Allemagne il n'y a pas eu la Révolution française.

– Je le sais ! fit Anna sèchement. (Puis, sombrant dans le néant :) En tout cas... c'était bien, non ?

*

C'était les grandes vacances. Juste comme on se demandait ce qu'on allait en faire, arriva une lettre de Herr Zwirn invitant toute la famille à l'*Hôtel Zwirn*. Et juste comme on cherchait comment payer les billets de train, un journal français eut la bonne idée de commander une série de trois articles à Vati, et les lui paya tellement mieux que ce qu'il gagnait au *Parisien quotidien* que le problème était résolu.

Ajoutant à la bonne humeur générale, Max rapporta un bon bulletin pour son troisième trimestre. Mutti et Vati n'en croyaient pas leurs yeux. Ni « refuse tout effort » ni « ne prend pas d'intérêt à la classe » ; à leur place, des louanges : « élève intelligent », « a fourni de gros efforts » ; et ce commentaire du proviseur : « Des progrès remarquables ». Sous le coup de cette bonne surprise, Mutti, en lui disant au revoir, embrassa comme du bon pain Grete qui rentrait en Autriche. On était si content d'en être enfin débarrassé qu'on multipliait d'ailleurs les gentillesses à son égard depuis quelques jours. Mutti lui avait même offert un petit foulard à titre de cadeau d'adieu.

– Je ne crois pas qu'on porte ce genre de machin en Autriche, avait soupiré Grete en guise de remerciement.

Mais elle l'emporta.

Et la famille partit de son côté pour la Suisse.

*

L'auberge Zwirn n'avait pas changé. Le patron et la patronne étaient toujours aussi aimables et chaleureux, et faisant suite aux chaleurs parisiennes l'air frais des bords du lac de Zurich semblait un délice. Le dialecte germano-suisse de l'endroit sonnait familièrement à l'oreille et les enfants appréciaient de comprendre la totalité de ce qui se disait au lieu d'une partie. Franz et Vreneli se montrèrent prêts à renouer le fil de leur camaraderie à l'endroit exact où il avait été rompu, et pour tout dire Vreneli, sans lui laisser le temps de souffler, emmena Anna à un rendez-vous avec le garçon aux cheveux roux. Celui-ci avait enfin commencé à regarder Vreneli d'une façon « intéressée », prétendait-elle, sans pouvoir la définir avec plus de précision. En tout cas, d'une façon qui paraissait la combler d'aise. Franz emmena Max pêcher à la ligne avec toujours la même vieille canne à pêche. Et tous jouèrent ensemble aux mêmes jeux et firent dans les bois les mêmes promenades qu'ils avaient tant aimées l'année d'avant. Mais quelque chose, dans cette répétition, détonnait, avivant pour Anna et Max le sentiment qu'ils gardaient de leur qualité d'étrangers. Comment la vie des Zwirn avait-elle pu rester à ce point la même alors qu'il y avait tant de changements dans la leur ?

– C'est drôle que rien n'ait bougé, dit Max – et Franz demanda ce qui aurait dû « bouger », mais Max fut incapable de répondre.

Un jour qu'Anna était allée au village avec Vreneli et Roesli, elles rencontrèrent Herr Graupe.

– Ravi de vous revoir dans notre beau pays suisse ! s'écria-t-il en serrant la main d'Anna avec l'ardeur de la sincérité.

Il la bombarda de questions sur son école en France. Il était intimement convaincu que rien ne pouvait égaler l'école du village, et Anna s'excusa presque d'avoir à dire du bien de celle de Paris.

– Vraiment ? fit Herr Graupe, incrédule, en entendant le détail du travail, des déjeuners à la cuisine avec Clotilde et de la conscience professionnelle de madame Socrate.

Alors se produisit une chose étrange. Comme Herr Graupe s'informait de l'âge auquel on quitte les bancs de l'école en France, Anna – qui l'ignorait –, au lieu de déclarer son ignorance en allemand, se trouva soudain en train de hausser les épaules et de dire en français : « *Je ne sais pas* », avec son meilleur accent parisien.

Aussitôt elle regretta cette réponse en français. Elle comprit que Herr Graupe allait y voir de la suffisance. Pourtant la langue française lui était venue à la bouche naturellement et sans aucune affectation de sa part : tout comme si quelque chose en elle l'avait fait tout à coup penser en français ; et d'autant plus mystérieusement qu'à Paris elle ne se rappelait pas avoir jamais pu penser en français.

– Bon, eh bien ! je vois que tu deviens française, dit Herr Graupe sans enthousiasme, le moment de la surprise passé. Mais je ne veux pas te retarder... ajouta-t-il – et il tourna le dos et s'en alla.

Vreneli et Roesli gardèrent un silence dont elles n'étaient pas coutumières durant la marche du retour.

Vreneli se décida enfin :

– On dirait que tu parles français parfaitement, hein ? dit-elle.

– Pas du tout, dit Anna. Max est bien meilleur que moi.

– Eh bien, moi, je sais dire « *oui* ». Ça se dit : « *Oui* », n'est-ce pas ? dit Roesli. Y a-t-il des montagnes en France ?

– Pas près de Paris.

Vreneli regardait Anna pensivement. Elle dit :

– Tu sais, tu as changé...

– Mais non, je n'ai pas changé ! protesta Anna.

– Je t'assure que si, tu as changé, dit Vreneli. Je ne sais pas quoi au juste. Mais il y a quelque chose de différent en toi.

– Arrête tes idioties ! cria Anna. Je n'ai absolument rien de nouveau !

Mais elle savait que Vreneli avait raison. Et soudain, du fond de ses onze ans, lui monta le sentiment qu'elle était vieille et triste.

*

Le reste des vacances se passa plutôt bien. Les enfants se baignaient, jouaient, et même si ce n'était pas tout à fait comme avant, c'était encore suffisamment agréable. Après tout, comme disait Max, à quoi bon se désoler de n'être plus vraiment dans le coup ? On regretta d'avoir à s'en aller à la fin du séjour. Les adieux furent longs, pleins de réelle affection. Cela dit, retourner à Paris donnait indiscutablement à Max et à Anna l'impression de rentrer à la maison. Bien plus qu'ils ne l'auraient cru.

19

À la rentrée, Anna avait monté d'une classe. Madame Socrate restait son professeur, mais le niveau était nettement plus élevé. On préparait le *certificat d'études*, que tout le monde – sauf Anna – passerait à la fin de l'année.

– J'en suis dispensée parce que je ne suis pas française, dit-elle à sa mère. De toute façon je n'aurais eu aucune chance de le réussir.

Il lui fallait néanmoins travailler comme les autres. Les élèves étaient censées faire au moins une heure de devoirs tous les jours à la maison, apprendre par cœur des pages entières d'histoire et de géographie, composer des rédactions, étudier la grammaire. Pour Anna, la difficulté de tout cela se corsait à cause de ce qui lui restait de maladresse en français. Même l'arithmétique, qui avait constitué jusque-là son point fort, commençait à lui donner du souci. Délaissant les simples additions – pour lesquelles il n'y avait pas besoin de traduction –, la classe avait abordé les « problèmes » : fumeuses histoires de gens qui creusent des tranchées ou se croisent en chemin de fer, ou bien encore s'avisent, sous le coup d'une inspiration diabolique, de remplir des cuves d'eau à un certain tarif en siphonnant une autre cuve, d'un tarif différent. Il s'agissait de transposer l'imbroglio en allemand avant de pouvoir commencer à y réfléchir.

Comme on approchait de l'hiver, Anna accusa une certaine fatigue. Elle traînait la patte en rentrant de l'école et s'asseyait devant ses devoirs sans trouver la force de s'y mettre. Le découragement la gagnait. Madame Socrate, l'esprit occupé par le certificat d'études, ne lui consacrait plus autant de temps, et il lui semblait qu'elle régressait presque. Malgré tous ses efforts, ses fautes en dictée ne tombaient pas au-dessous d'une quarantaine, et marquaient une tendance récente à remonter à cinquante. Durant les cours, même quand elle connaissait les réponses aux questions, le temps de les traduire en français, et c'était trop tard ! Elle devint défaitiste.

Un jour qu'elle rêvassait au-dessus de ses devoirs, Mutti entra dans la salle à manger.

– Tu as bientôt fini, ma chérie ?

– Pas tout à fait, dit Anna – et Mutti s'approcha pour regarder son cahier.

C'était un exercice d'arithmétique. Tout ce dont Anna avait été capable se bornait à l'inscription de la date, en haut de la feuille, suivie du mot : « Problème ». Elle avait orné le mot « Problème » d'un petit cadre tiré à la règle à l'encre rouge, puis avait décoré le cadre avec des pointillés, l'avait ensuite rehaussé d'un superbe zigzag lui-même constellé de points bleus. Cette réalisation lui avait pris environ une heure.

Mutti explosa.

– Pas la peine de se demander pourquoi les devoirs ne se font pas !... Tu ne consens à t'y intéresser que quand tu es trop fatiguée pour comprendre quoi que ce soit !... À ce train-là, tu n'apprendras jamais rien !

C'était si évident qu'Anna éclata en sanglots.

– J'essaie vraiment... pleurait-elle. Je t'assure !... Mais je n'y arrive pas... C'est trop difficile... Je fais ce que je peux, mais je n'y arriverai jamais !... Pas la peine que je continue...

Ses larmes inondèrent le mot « Problème », le papier se gondola, le cadre se dilua dans le zigzag, bref, le désastre.

– Mais si, tu y arriveras, dit Mutti en esquissant un geste en direction du cahier. Tu vas voir, je vais t'aider.

– Non ! cria Anna assez violemment.

Elle poussa le cahier, qui tomba de la table.

– Bon ! Eh bien ! Tu n'as pas l'air dans les

dispositions idéales pour faire des devoirs, observa Mutti après un silence.

Elle sortit.

Anna cherchait la conduite à tenir, quand sa mère réapparut, son manteau sur le dos.

– Je descends acheter des tranches de cabillaud pour le dîner. Tu devrais venir avec moi. Ça te ferait prendre l'air.

Dans la rue, elles marchèrent sans rien dire. Il faisait froid et sombre. Anna traînait les pieds, les mains dans les poches, l'âme vide, deux pas derrière sa mère.

Décidément elle n'était bonne à rien. Elle ne parlerait jamais français correctement. Elle serait comme Grete qui n'y avait jamais réussi ; mais contrairement à Grete, elle n'était pas près de rentrer dans son pays... À cette pensée, ses yeux s'embuèrent et elle se mit à renifler. Mutti dut la rattraper par un bras pour lui éviter de percuter une vieille dame.

La poissonnerie se trouvait à quelque distance dans une rue animée et bien éclairée. Elle jouxtait une pâtisserie aux étalages pleins de petits-fours à la crème qu'il était possible de déguster sur place, assis à une table. Anna et Max avaient plus d'une fois léché cette vitrine, mais sans pouvoir entrer, vu la modestie de leurs moyens. Anna, cette fois, n'y jeta même pas un coup d'œil. Mais Mutti s'arrêta devant la lourde porte en verre.

– Entrons, dit-elle à la surprise d'Anna.

À l'intérieur, elles furent accueillies par un souffle d'air chaud embaumant la pâte sablée et le cacao.

– Je vais prendre un thé, et toi un gâteau, dit Mutti. Nous allons parler un peu.

– Ce n'est pas trop cher ? demanda Anna d'une petite voix.

– Nous pouvons nous permettre cette folie, dit Mutti. Mais ne prends pas un de ces gâteaux énormes, sinon nous n'aurons plus assez d'argent pour acheter le poisson.

Anna choisit un gâteau fourré aux noix, débordant de crème pâtissière et surmonté de chantilly, puis elles allèrent s'asseoir à une des petites tables.

– Écoute, dit Mutti tandis qu'Anna plongeait sa fourchette dans son gâteau. Je sais que c'est difficile pour toi, à l'école. Je sais que tu as fourni des efforts. Mais que veux-tu que je te dise ?... Nous sommes en France et il faut que tu apprennes le français.

– Ça me fatigue tellement ! dit Anna. Et mon français se dégrade au lieu de s'améliorer. Peut-être que je fais partie de ces gens qui ne peuvent pas apprendre une langue.

Mutti n'en croyait rien.

– Absurde ! À ton âge, on y arrive toujours !

Anna goûta son gâteau. Il était délicieux.

– Tu en veux ? dit-elle.

Mutti secoua la tête et reprit, après quelques secondes sans rien dire :

– Tu t'en es très bien tirée jusqu'ici. Tout le monde dit que ton accent est parfait et ton vocabulaire est considérable, compte tenu que tu n'as pas encore passé un an ici !

– L'ennui, c'est qu'à présent je piétine. Je ne suis plus capable d'aller plus loin, dit Anna.

– Il faut que tu y arrives !

Anna baissa les yeux sur son assiette.

– Écoute, dit Mutti. Dans ces domaines, les choses arrivent quand on ne s'y attend plus. Lorsque j'apprenais la musique, je me bagarrais parfois pendant des semaines sans parvenir à rien. Et puis tout à coup, juste quand j'allais perdre espoir, miracle ! Tout s'éclairait, tout devenait simple et je ne comprenais même plus où se trouvait la difficulté qui m'avait arrêtée. Peut-être est-ce que ça sera comme ça pour ton français...

Anna se taisait, sceptique.

Mutti, de son côté, semblait avoir trouvé dans ses références à la musique les éléments de la décision à prendre.

– Voici ce que nous allons faire, dit-elle. Il ne reste que deux mois avant Noël. Veux-tu essayer de t'appliquer encore pendant ces deux mois ? Et puis si à Noël tu estimes que décidément ton cas est désespéré, alors nous aviserons. Je ne sais pas ce que nous ferons, car nous n'avons pas l'argent nécessaire pour te payer une école privée. Mais nous trouverons une solution, je te le promets. D'accord ?

– D'accord, dit Anna.

Le gâteau était une merveille. Quand elle eut léché la dernière trace de crème aux noix, elle se sentit bien moins de points communs avec Grete qu'avant. Elles restèrent attablées un petit moment encore, car l'endroit était agréable.

– Un plaisir, de prendre le thé avec sa fille ! conclut Mutti avec un sourire.

Anna sourit aussi.

L'addition était plus élevée que prévu, et ne laissait plus de quoi acheter de cabillaud. Mais tant pis, Mutti le remplaça par des moules. Et le lendemain matin elle donna à Anna un mot pour madame Socrate, expliquant pourquoi les devoirs n'étaient pas faits ; et elle avait dû ajouter autre chose, car madame Socrate dit à Anna de ne pas s'inquiéter pour son travail, et retrouva un peu de temps pour la prendre à part durant l'heure du déjeuner.

Et dès lors, son niveau remonta sensiblement. Et Anna, chaque fois qu'elle sentit qu'elle risquait de perdre pied, se souvint qu'on ne lui imposerait pas de nager éternellement. Cet espoir lui permettait de se maintenir à la surface et de découvrir qu'en fin de compte elle ne se débrouillait pas si mal...

*

Et puis un matin, ce fut le déclic.

C'était un lundi. Colette l'attendait devant la grille de l'école et lui demanda :

– Qu'as-tu fait de ton dimanche ?

Au lieu de traduire mentalement la question en allemand, d'y répondre de la même façon pour enfin retraduire cette réponse pour Colette, Anna répliqua en un français spontané :

– *Nous sommes allés voir nos amis.*

Les mots arrivèrent dans un ordre impeccable, sans effort de réflexion et comme tombés du ciel. Anna en éprouva tant de surprise qu'elle resta pour ainsi dire foudroyée, sourde à la question suivante.

– Je te demande, répéta Colette : As-tu sorti le chat ?

– Non, il faisait trop humide, répondit Anna en un français toujours sans faute et sans chercher ses mots.

Cela tenait du miracle, et il y avait tout lieu de craindre que ça ne durât pas. C'était pour Anna comme si elle avait soudain découvert qu'elle pouvait voler : elle s'attendait à retomber sur le sol d'un instant à l'autre. Le cœur battant la chamade, elle entra en classe. Son nouveau talent persistait.

Au cours de la première heure, elle répondit correctement quatre fois en excellent français, ce qui provoqua une exclamation étonnée de la part de madame Socrate :

– Très bien, Anna !

Durant la récréation, elle bavarda et gloussa avec Colette, et à l'heure du déjeuner elle expliqua en long et en large à Clotilde de quelle façon Mutti faisait revenir du foie de veau dans des oignons. Elle hésita sur certains mots, bien sûr, et commit encore une ou deux tournures maladroites ; mais son français coulait comme aurait coulé son allemand, fluide et abondant.

Au terme de cette journée, Anna se trouva ivre d'excitation, pas du tout fatiguée. Le lendemain matin, au réveil, une angoisse la saisit : et si son nouveau don s'était évanoui pendant son sommeil ? Mais elle fut vite rassurée. En arrivant à l'école, elle constata qu'elle parlait encore mieux que la veille.

À la fin de la semaine, Mutti n'en était pas revenue :

– Je n'ai jamais vu une telle métamorphose ! Il y a huit jours, tu n'étais qu'une malheureuse ombre verdâtre. À présent c'est comme si tu avais pris cinq centimètres, et te voilà toute rose !... Que t'est-il arrivé ?

– Je crois que j'ai appris à parler français, dit Anna.

20

Il y avait encore moins d'argent à dépenser pour Noël que l'année précédente, mais on s'amusa plus grâce aux Fernand. La fête principale en France n'est d'ailleurs pas Noël, mais la Saint-Sylvestre, veille du Jour de l'An. Les enfants ont alors la permission de veiller jusqu'à minuit. Ils réveillonnèrent et échangèrent des cadeaux chez les Fernand. Anna avait acheté sur son argent de poche des chocolats pour le chat blanc et après le souper, au lieu de jouer avec Francine et Max, elle resta dans le salon à les lui faire manger par terre. Les deux mères s'affairaient à la vaisselle dans la cuisine, tandis que les messieurs, bien calés dans leurs fauteuils, poursuivaient une de leurs éternelles conversations en buvant du cognac.

Vati parlait avec fougue et Anna se réjouissait de l'entendre, car depuis le matin où était arrivée une certaine carte postale d'oncle Julius, il était resté dans une sorte d'abattement. Les cartes postales d'oncle Julius s'étaient succédé irrégulièrement au long des mois, n'apportant pas à proprement parler des « nouvelles », mais toujours chargées d'amitié. Elles contenaient de petites plaisanteries, des blagues notamment à l'adresse de « tante Alice », auxquelles Vati n'omettait jamais de répondre. La dernière carte était adressée à Anna comme d'habitude, mais ne faisait aucune allusion à « tante Alice » et ne comportait même pas de « bons vœux » pour la nouvelle année. Au lieu de cela, au dos d'une photo d'ours, oncle Julius s'était contenté d'écrire : « Plus je vois les hommes, plus j'aime les animaux. » Il n'avait même pas signé. On avait reconnu l'expéditeur à sa belle écriture nette.

Vati l'avait lue, puis l'avait rangée sans commentaire avec les autres cartes et lettres d'oncle Julius précieusement conservées dans le tiroir de son bureau, et n'avait pratiquement plus dit un mot de la journée. Quel bonheur de le retrouver à présent aussi disert et bruyant que monsieur Fernand.

– ... mais vous vivez dans un pays libre ! disait-il. C'est tout ce qui compte !

– Oui, mais... disait monsieur Fernand – et Anna se douta qu'il allait objecter « la Crise ».

La Crise était l'unique crainte de monsieur Fernand, la seule chose qui pouvait l'assombrir et bien qu'Anna eût plusieurs fois demandé qu'on lui expliquât ce que c'était que la Crise, personne n'en avait été capable. Apparemment il s'agissait d'une calamité mondiale parvenue jusqu'en France et se traduisant par moins d'argent, moins de travail et par le licenciement de plusieurs collègues de monsieur Fernand à son journal. Quand monsieur Fernand gémissait sur la Crise, Vati lui rappelait qu'il avait au moins la chance de vivre dans un pays libre, et cette fois-ci il le lui rappelait avec une éloquence plus péremptoire que de coutume, sans doute à cause de la carte postale d'oncle Julius.

Monsieur Fernand argumenta pied à pied, mais soudain il se mit à rire. Le chat blanc desserra les dents à ce bruit et laissa tomber une miette de chocolat. Anna leva les yeux. Monsieur Fernand était en train de remplir le verre de Vati et lui tapait sur l'épaule.

– C'est le monde à l'envers ! disait-il. Vous essayez de me convaincre que tout va bien, alors que vous avez cent fois plus de sujets de vous plaindre que n'importe qui !

À minuit, les dames réapparurent, ayant terminé la vaisselle. On se rassembla et tout le monde, enfants compris, porta un toast en l'honneur de la nouvelle année.

– Bonne année 1935 ! dit monsieur Fernand.

– Bonne année 1935 ! répétèrent-ils tous en chœur.

– À nous, et à tous les nôtres !... dit Vati doucement.

Anna sentit qu'il pensait à oncle Julius.

*

En février Mutti eut la grippe et elle n'était pas encore parfaitement rétablie que la concierge connut des ennuis de jambe, ce qui tombait mal. Depuis le départ de Grete, Mutti avait réussi à s'acquitter elle-même de presque tout le ménage, mais la concierge montait tout de même une heure chaque matin pour aider aux gros travaux. À présent, Mutti devait y faire face toute seule, ce qui ne l'enchantait pas. Elle avait horreur du ménage, même quand elle était en bonne forme. D'une humeur de chien, comme est l'humeur des gens qui viennent d'avoir la grippe, elle passait son temps à pester contre toute la lessive à faire en plus de la cuisine, du repassage, du reprisage, etc. Le fardeau l'accablait. Anna et Max faisaient preuve de bonne volonté dans les tâches secondaires comme les courses ou la poubelle à descendre, mais cette aide ne suffisait pas. Les plaintes de leur mère ne tarissaient plus.

– Faire la cuisine, passe encore ! soupirait-elle. Mais ces lessives qui reviennent sans cesse !... Et les chaussettes à raccommoder !... Je n'en vois jamais la fin !

La participation de Vati était nulle. Il n'avait aucune idée de ces choses-là. Entendant Mutti récriminer contre des draps à repasser :

– Ne t'ennuie donc pas à ces bêtises ! dit-il. Les draps se rechiffonneront de toute façon quand on se couchera dedans...

– Tu ne comprends rien à rien ! dit Mutti, dont les bras en tombèrent.

Elle s'affolait d'autant plus qu'il était question qu'Omama vînt rendre visite à grand-tante Sarah, et qu'il fallait que la maison fût impeccable pour ce passage. Mais tandis que Mutti pourvoyait au nettoyage de chaque pièce – et elle y mettait une sorte de rage qu'on n'avait jamais sentie chez Grete ni chez la concierge –, le linge sale s'entassait ; et tandis qu'elle déployait des prodiges d'astuce pour cuisiner à bas prix des choses mangeables, le linge à raccommoder s'accumulait. Voyant Vati d'une indifférence de marbre à l'égard des nécessités prosaïques, elle arrivait à lui en vouloir. Un soir, il y eut même une dispute.

Mutti tâchait tant bien que mal de rafistoler un vieux maillot de corps d'Anna, ce qui n'allait pas sans quantité de cris d'impatience à cause du retard qu'elle prenait dans la pile de chaussettes et de taies d'oreiller en attente. Soudain Vati prit la parole.

– Au fond, dit-il, je ne comprends pas pourquoi tu raccommodes les sous-vêtements des enfants, puisque personne ne les voit...

Ce n'était vraiment pas la chose à dire, songea Anna. Mutti explosa.

– Toi alors ! Tu ne te rends vraiment pas compte de tout ce que je fais comme corvées ! Je me tue à laver, cuisiner, repasser, repriser – et tout ce que tu trouves à dire, c'est que tu ne comprends pas pourquoi !

– Oh, tu sais... Ce que je t'en dis, c'est juste parce que je t'entends gémir... Il me semble que dans les autres maisons les choses se font sans douleur. Regarde chez les Fernand...

Redoublement de colère.

– Madame Fernand aime les tâches ménagères, elle ! Et puis elle a une femme de ménage tous les jours, et une machine à coudre ! Regarde ça ! cria Mutti en agitant une taie d'oreiller en lambeaux. Madame Fernand pourrait la réparer en deux minutes, moi, ça va me prendre une bonne demi-heure ! Et si tu me compares à elle, ça prouve tout simplement que tu ferais mieux de te taire !

Vati était déconcerté par la tournure de la conversation. Fidèle adorateur de Mutti, il détestait la voir se mettre dans des états pareils.

– Je cherchais seulement à suggérer, hasardat-il, que pour une femme de ton intelligence il doit y avoir moyen de trouver des simplifications qui...

– Va les demander à madame Fernand, tes simplifications ! le coupa Mutti. Moi, tout ce que je sais faire, c'est de jouer du piano !...

Elle sortit en claquant la porte.

Le lendemain, en revenant de l'école, Anna trouva son père au pied de l'escalier en train d'attendre l'ascenseur. Il portait une volumineuse boîte en carton avec poignée.

– Qu'est-ce que c'est ? demanda-t-elle.

– Un cadeau pour ta mère.

Anna brûlait de voir quel genre de cadeau. Le visage de Mutti se figea à la vue du carton.

– Tu n'as tout de même pas acheté... commença-t-elle.

– ... une machine à coudre, acheva fièrement Vati en soulevant le couvercle de la boîte.

Cette machine à coudre ne ressemblait en rien à celle de madame Fernand. Elle était d'un noir écaillé, et non d'une belle couleur métallisée, et avait une drôle d'allure.

– Bien sûr, elle n'est pas toute neuve, dit Vati, et elle a besoin d'une petite toilette. Mais grâce à elle, te voici en mesure de réparer les taies d'oreiller et les chaussettes, et de faire les vêtements des enfants sans emprunter le matériel de madame Fernand...

– Mais je ne sais pas faire de vêtements ! protesta Mutti. Et puis on ne reprise pas des chaussettes avec une machine !

Elle avait l'air catastrophée.

– Eh bien, dit Vati, tu feras avec elle tout ce qu'on peut faire avec une machine à coudre.

Tous considéraient l'engin, qui à vrai dire n'avait pas l'air de permettre de faire grand-chose.

– Et combien t'a-t-elle coûté ? demanda Mutti.

– Euh, ne t'inquiète pas pour ça, dit Vati. J'ai été payé de l'article supplémentaire que j'ai écrit aujourd'hui pour *Le Parisien quotidien*...

À ces mots, Mutti se mit à trembler de fureur.

– Mais cet argent, nous en avions besoin ! Tu ne t'en souviens donc pas ? Nous avions décidé de l'employer à payer la note du boucher, et à acheter d'autres chaussures pour Anna !

Vati baissait la tête, penaud. Visiblement ces projets budgétaires lui étaient sortis de l'esprit. Mais avant que Mutti ait pu se lancer dans une nouvelle diatribe, la sonnette retentit. Anna alla ouvrir. C'était madame Fernand. Dans le feu de la discussion, on avait totalement oublié qu'elle devait passer prendre le thé.

– Venez voir ! l'appelèrent ensemble Mutti et Vati sur deux tons de voix différents.

Madame Fernand pénétra dans la salle à manger

à la suite d'Anna, s'approcha de la machine et la regarda avec incrédulité.

– Fichtre ! Où avez-vous déniché ça ? Elle date d'avant le Déluge !

– Vous lui trouvez l'air si ancien ? demanda timidement Vati.

Madame Fernand regarda la machine de plus près.

– Vous ne l'avez tout de même pas achetée ?

– Mais si, dit Vati. Tout ce qu'il y a de plus achetée !

– Regardez ! Le dispositif de l'aiguille est cassé ! dit madame Fernand. D'ailleurs, la machine tout entière est faussée... Elle a dû faire une chute ! Jamais elle ne fonctionnera.

Une inscription était gravée sur un des montants. Madame Fernand la frotta avec son mouchoir, et sous la saleté quatre chiffres apparurent. Ils formaient une date : 1896. Madame Fernand remit son mouchoir dans sa poche.

– Comme antiquité, elle ne manque pas d'un certain intérêt, déclara-t-elle. Mais comme machine à coudre, il vaudrait mieux la rendre...

Vati encaissait avec peine que son beau cadeau ne pût servir à rien.

– En êtes-vous sûre ? demanda-t-il.

– Sûre et certaine, dit madame Fernand.

Rapportez-la au plus vite au vendeur, et qu'il vous redonne votre argent.

– Comme ça, on pourra m'acheter des chaussures ? dit Anna avec la conscience que ce n'était pas tout à fait le bon moment pour formuler cette demande. (Mais sa vieille paire n'était plus bonne qu'à lui broyer les orteils – et elle avait tant envie d'une nouvelle !)

– Mais oui, mais oui, dit Mutti avec impatience.

Vati hésitait toujours.

– J'espère qu'on sera d'accord pour me la reprendre, dit-il. Le bonhomme à qui j'ai eu affaire n'était pas très commode...

– Je vous accompagne, dit madame Fernand. Je veux connaître l'endroit où se vendent des machines à coudre mérovingiennes ! Viens avec nous, Anna.

Contrairement à ce qu'on pouvait prévoir, le magasin ne vendait pas seulement des machines à coudre ; on y trouvait toutes sortes de choses, chaises branlantes, tables bancales, tableaux crevés. Certains de ces trésors étaient exposés sur le trottoir, et parmi eux un petit monsieur débraillé était en train de draper une peau de tigre mitée sur une commode de style douteux. Quand il vit Vati, ses yeux extraordinairement pâles se fermèrent à demi.

– Bonjour, monsieur, dit Vati avec sa politesse habituelle. Je vous ai acheté cette machine à coudre voici quelques heures, mais il est à craindre qu'elle ne marche pas...

– Vous pensez ? fit l'homme sans marquer de surprise.

– Je le pense, dit Vati. Je vous la rapporte donc...

L'homme n'eut pas de réaction.

– ... et je vous demande d'avoir l'amabilité de consentir à me la rembourser.

– Ah çà, non ! fit l'homme. Impossible ! Ce qui est fait est fait !

– Mais la machine ne fonctionne pas, reprit Vati.

– Écoutez, monsieur, dit l'homme en délaissant momentanément sa peau de tigre. Vous êtes venu ici m'acheter une machine à coudre. À présent vous changez d'avis et vous voulez reprendre votre argent. Eh bien, moi, monsieur, je ne travaille pas dans ces conditions. Ce qui est fait est fait, il n'y a pas à y revenir...

– Je suis d'accord que ce qui est fait est fait, dit Vati. Il n'en reste pas moins que cette machine est cassée.

– Qu'est-ce qu'elle a de cassé ?

Vati pointa vaguement un doigt du côté de l'aiguille. Le marchand leva les bras au ciel.

– Une malheureuse petite pièce un peu défectueuse ? Ça vous coûtera trois sous de remplacer ça !... Vous ne vous attendiez tout de même pas à ce que cette machine soit toute neuve, au prix que vous l'avez payée !

– Euh, peut-être pas, dit Vati. Mais étant donné qu'elle ne marche pas du tout, vous ne croyez pas que vous devriez la reprendre ?

– Non, dit l'homme.

Vati semblait à bout d'arguments et Anna voyait s'envoler ses espérances de chaussures neuves. Vati avait perdu, bien sûr, mais il avait combattu de son mieux et il n'était pas le genre d'homme qui force un bandit à lui rendre son argent.

Anna soupira, résignée, mais c'était compter sans madame Fernand.

– Dites donc, vous ! lança-t-elle à l'adresse du marchand, et si fort que plusieurs passants se retournèrent. Vous avez fourgué à monsieur un débris de machine à coudre en lui faisant croire qu'elle marchait, c'est de l'escroquerie ! Nous allons de ce pas porter plainte au commissariat et quelque chose me dit que la police ne sera pas mécontente de venir mettre le nez dans tout ce fourbi que vous vendez ici...

– Attendez, madame !... S'il vous plaît... cria l'homme, dont les yeux s'étaient complètement rouverts.

– Ne me faites pas croire que vous avez acquis cette chose dans des conditions régulières, continuait madame Fernand en tapant avec mépris sur la peau de tigre. Ce n'est pas du commerce que vous faites, c'est de l'escroquerie ! Et quand la police en aura fini avec vous, mon mari, qui est journaliste, s'attaquera à vous dans son journal...

– S'il vous plaît, madame, répéta l'homme en mettant la main à sa poche. Je vous en prie... c'est un malentendu !

Il tendit à Vati des billets de banque froissés.

– Est-ce qu'il y a le compte ? demanda madame Fernand d'un ton sévère.

– On dirait, dit Vati.

– Eh bien, allons-nous-en.

Ils n'avaient fait que quelques pas, quand l'homme les rattrapa en courant. Qu'y a-t-il encore ? se demanda Anna avec angoisse.

– Excusez-moi, monsieur, cela ne vous ennuierait-il pas... balbutia l'homme.

Vati baissa les yeux et découvrit qu'il avait toujours à la main le carton contenant la machine à coudre litigieuse.

– Oh ! je suis désolé, s'excusa-t-il en s'en débarrassant à la hâte. Je ne sais plus où j'ai la tête...

– Mais je vous en prie, monsieur... C'est tout à fait naturel, monsieur... fit l'homme sans conviction.

Quand Anna se retourna quelques instants plus tard, elle vit le marchand qui agençait d'un air maussade la machine à coudre au milieu de la peau de tigre.

*

Ils raccompagnèrent madame Fernand à sa station de métro.

– Maintenant, dit-elle, ne faites plus de bêtises avec les machines à coudre. Vous avez la mienne à votre disposition chaque fois que vous en aurez besoin. Et dis à ta mère, Anna, que je passerai la voir demain et que je lui donnerai un coup de main pour son raccommodage.

Elle regarda Vati avec une sorte de respect et ajouta :

– Vous formez vraiment le couple le plus dénué de sens pratique que j'aie jamais vu !

Anna et son père rentrèrent à la maison. Le froid était vif, mais le ciel, d'un bleu pur et lumineux, semblait annoncer le printemps pourtant loin.

À l'école, le matin, Anna avait eu sept sur dix à sa dictée : seulement trois fautes. L'argent pour les nouvelles chaussures était bien au chaud dans la poche de Vati. En somme, la vie était belle.

21

Omama débarqua chez grand-tante Sarah quelques jours avant Pâques et vint rendre visite à Mutti et aux enfants l'après-midi suivant son arrivée. Avec l'aide de la concierge (dont la jambe allait mieux), Mutti avait tout briqué et rangé de façon que l'appartement se présentât sous son jour le plus favorable ; mais rien ne pouvait pallier le fait qu'il fût si petit et si pauvrement meublé.

– Vous n'avez rien trouvé de plus grand ? s'étonna Omama au moment du thé, servi sur la toile cirée rouge de la salle à manger.

– Le loyer aussi serait plus grand, répondit Mutti en lui tendant une part de clafoutis maison. Et pas dans nos moyens...

– Mais pourtant, ton mari...

Omama semblait surprise.

– La Crise, chère mère, dit Mutti. Tu as dû en entendre parler ? Avec tant de journalistes français au chômage, personne ne va engager un rédacteur allemand. Quant au *Parisien quotidien*, il n'a pas de quoi payer beaucoup...

– Oui, mais quand même... fit Omama.

D'un coup d'œil circulaire, elle passa en revue la pièce, d'une façon plutôt impolie, pensa Anna, car après tout ce n'était pas si mal que ça ! Mais à cet instant précis Max, qui se balançait sur sa chaise, tomba à la renverse et se retrouva par terre, coiffé de son clafoutis.

– ... ce n'est pas un endroit pour élever des enfants, acheva Omama.

L'à-propos de cette réflexion jeta les enfants dans un fou rire incontrôlable. Mais Mutti ordonna à Max de nettoyer les dégâts et continua sèchement à l'adresse d'Omama :

– Ne dis pas de bêtises, mère. Les enfants se débrouillent très bien ici. Et même, Max s'est mis à travailler pour la première fois de sa vie !

– Et je vais passer le certificat d'études ! ajouta Anna.

C'était la grande nouvelle. Madame Socrate, au vu de ses progrès, estimait qu'il n'y avait plus aucune raison pour qu'Anna ne subît pas l'épreuve comme toute la classe à la fin de l'année.

– Le certificat d'études ? dit Omama. N'est-ce pas cette espèce d'examen pour les enfants de l'école primaire ?...

– Pour les enfants français de douze ans, corrigea Mutti. Et la maîtresse d'Anna est très contente des progrès qu'elle a faits !

Omama secoua la tête.

– C'est égal, fit-elle en regardant sa fille avec mélancolie. Tout cela est si bizarre, si différent de la façon dont tu as été élevée...

*

Elle était arrivée avec des cadeaux pour chacun, et durant tout son séjour elle organisa, comme en Suisse, plusieurs sorties auxquelles Mutti et les enfants prirent grand plaisir et qu'ils n'auraient pu se permettre sans elle. Mais elle ne comprenait toujours pas grand-chose à leur nouvelle vie. « Ce n'est pas une éducation pour des enfants » devint dans sa bouche une sorte de leitmotiv, et une phrase clé du folklore familial.

– « Ce n'est pas une éducation pour des enfants ! » disait Max à Mutti lorsqu'elle oubliait de lui faire ses sandwichs pour le lycée.

Et Anna, quand la concierge surprit Max à descendre l'escalier à cheval sur la rampe, répéta :

– « Ce n'est pas une éducation pour des enfants. »

Après une des visites d'Omama, Vati, qui s'arrangeait généralement pour l'éviter, demanda à Mutti :

– Comment était ta mère, aujourd'hui ?

– Gentille comme d'habitude, et comme d'habitude sans aucun sens de rien...

Au moment de s'en retourner vers son Midi, Omama embrassa chaleureusement les uns et les autres.

– Souviens-toi, dit-elle à Mutti, que s'il y a quoi que ce soit, vous pouvez toujours m'envoyer les enfants...

Anna échangea un regard avec Max et dit tout bas, d'un ton sentencieux :

– « Ce ne serait pas une éducation pour des enfants. »

Façon un peu ingrate de remercier Omama de ses bienfaits ; mais ils durent faire d'affreuses grimaces pour ne pas éclater de rire.

*

Les vacances de Pâques semblèrent longues à Anna, qui brûlait de rentrer en classe. Elle raffolait de l'école depuis qu'elle parlait français. Le travail lui paraissait de plus en plus facile et même plaisant, sa préférence allant aux exercices de rédaction. Écrire en français n'était pas du tout comme écrire en allemand : on pouvait donner aux mots différentes nuances de sens, c'était palpitant.

Même les devoirs à la maison avaient perdu leur goût de punition. Les longues pages de français, d'histoire et de géographie à apprendre par cœur constituaient la difficulté majeure, mais Anna et Max avaient découvert le moyen de la vaincre : en relisant le passage en question juste avant de s'endormir, ils se réveillaient en le sachant. Leur souvenir s'en effaçait vers l'après-midi, et le lendemain tout était oublié ; mais ils le gardaient en mémoire aussi longtemps que de besoin.

Un soir Vati entra dans leur chambre alors qu'ils se récitaient mutuellement leurs leçons. Celle d'Anna portait sur Napoléon et Vati, interloqué, écouta. Cela commençait par « Napoléon est né en Corse », après quoi suivait une interminable liste de dates de batailles et de traités, jusqu'au millésime final : « Il mourut en 1821. »

– Quelle drôle de façon d'apprendre la vie de Napoléon ! s'exclama Vati. C'est tout ce que tu sais de lui ?

– C'est tout ce qui compte, dit Anna un peu vexée, d'autant qu'elle n'avait fait aucune faute.

Vati se mit à rire.

– Oh ! non, ce n'est pas tout !

Il s'assit sur le lit et parla de Napoléon. Il raconta l'enfance du petit Corse au milieu de ses nombreux frères et sœurs, ses études brillantes et comment il devint officier à quinze ans, puis commandant en chef de l'armée française à vingt-six ; comment il installa ses frères et sœurs sur le trône de chaque pays conquis ; mais comment il échoua toujours à impressionner sa mère, rude femme d'ascendance paysanne.

– « C'est bien, pourvu que ça dure », disait-elle à chaque nouveau triomphe militaire, ce qui donnait avec son accent italien : « C'est bien, pourvou qué ça doure. »

Vati raconta comment ce pessimisme se justifia par la suite, comment la moitié de la Grande Armée française fut perdue lors de la désastreuse campagne de Russie, et finalement comment mourut Napoléon, déporté et solitaire, sur le rocher de Sainte-Hélène.

Max et Anna écoutaient, suspendus à ses paroles, extasiés.

– C'est comme du cinéma, dit Max.

– Eh oui, fit Vati. Eh oui, exactement comme du cinéma !

*

C'était bien agréable, trouvait Anna, que leur père eût un peu plus le loisir de parler avec eux ces temps-ci. C'était un des effets de la Crise. *Le Parisien quotidien* paraissait maintenant sur deux fois moins de pages qu'avant, et n'employait plus autant Vati. Mais Mutti et lui ne partageaient pas la satisfaction des enfants, et Mutti surtout s'inquiétait à propos de l'argent.

– Nous ne pouvons pas continuer comme ça, dit-elle à Vati – et Anna l'entendit ajouter : Je te l'avais bien dit, nous aurions dû aller nous installer en Angleterre.

Vati haussa les épaules en disant :

– Ça s'arrangera.

Bientôt Vati reprit son rythme habituel de travail et Anna, en l'entendant taper à la machine jusqu'à des heures tardives de la nuit, supposa que « ça s'était arrangé » et n'y pensa plus. Du reste son activité scolaire la captivait bien plus que ce qui pouvait se passer à la maison. Le certificat d'études approchait et elle s'était mis en tête de le réussir : ce serait, pensait-elle, après seulement vingt et un mois passés en France, un exploit de première grandeur...

Enfin arriva le jour J et par une tiède matinée de juillet, à la première heure, madame Socrate conduisit sa classe en rangs par les rues jusqu'à une école voisine. Les épreuves étaient surveillées par des maîtres inconnus, pour plus de justice. L'examen ne devait durer que la journée et il n'y avait donc pas de temps à perdre pour aborder toutes les matières du programme : français, arithmétique, histoire, géographie, couture, dessin et gymnastique.

D'abord arithmétique. L'épreuve durait une

heure et Anna eut l'impression de ne pas trop mal réussir. Puis français (une dictée). Après quoi, dix minutes de récréation.

– Tu t'en es bien tirée ? demanda Anna à Colette.

– À peu près, répondit Colette.

Jusque-là, donc, pas de dégâts. Après la pause, on leur donna deux exercices d'histoire et de géographie d'une demi-heure chacun. Puis ce fut le désastre.

– Comme nous manquons de temps, annonça le surveillant, il a été décidé cette année d'examiner les candidates non pas sur la couture et le dessin, mais sur la couture seulement, et l'épreuve comptera double.

La couture était la bête noire d'Anna. Elle n'avait jamais réussi à se mettre dans la tête le nom des différents points, et – sans doute édifiée par les échecs répétés de sa mère – avait toujours considéré les travaux d'aiguille comme une terrible façon de perdre son temps. Madame Socrate elle-même n'avait pu lui en donner le goût. Elle lui avait coupé un tablier pour qu'elle l'ourlât, mais Anna s'était acquittée de ce travail si lentement que parvenue enfin au bout ce fut pour constater qu'elle avait trop grandi pour mettre le tablier.

La déclaration du surveillant l'avait plongée dans une détresse qui ne fit que croître quand elle reçut un carré de tissu, du fil et une aiguille, assortis d'instructions énigmatiques quant à ce qu'on était censé en faire. Pendant une demi-heure elle improvisa de son mieux, louchant sur son ouvrage, cassant dix fois son fil, et démêlant les nœuds qui se créaient sans raison apparente. Finalement elle rendit un lambeau de chiffon d'un aspect tel que le surveillant qui ramassait les réalisations de chacun en resta bouche bée.

Le casse-croûte de midi avec Colette dans la cour de l'école fut maussade.

– Si on rate une épreuve, à ton avis, est-ce qu'on rate l'examen entier ? demanda Anna.

Elles étaient assises à l'ombre sur un banc, mâchant leurs sandwichs.

– J'en ai peur, dit Colette. À moins qu'on ne se rattrape en brillant dans une autre matière...

Anna repassa mentalement les différentes matières déjà vues. À part la couture, elle avait tout convenablement réussi – mais elle n'avait pas « brillé ». Ses chances de succès paraissaient minces.

Les sujets de composition française, l'après-midi, lui remontèrent un peu le moral. Il y en avait trois au choix, et l'un d'eux était un voyage. Anna décida de narrer celui que Vati avait fait de Berlin à Prague avec quarante de fièvre en risquant de se faire arrêter à la frontière. L'épreuve durait une heure, et à mesure qu'elle écrivait Anna sentait le voyage de son père prendre toute sa réalité sous sa plume.

Elle savait à présent comment il s'était déroulé dans ses moindres incidents, et quelles avaient dû être les impressions paternelles, et comment la fièvre lui avait fait mêler ses divagations avec ce qui se passait vraiment... Cinq pages se trouvèrent noircies pour aboutir à l'arrivée de Vati à Prague, et Anna eut juste le temps de les relire en vérifiant la ponctuation et corrigeant l'orthographe avant de remettre sa copie. Elle avait le sentiment d'avoir réussi un chef-d'œuvre en matière de composition française – et en oubliant le fiasco en couture, le certificat d'études était dans la poche !

Les deux dernières épreuves étaient le chant et la gymnastique. Pour le chant, les candidates étaient prises une à une, mais, le temps faisant défaut, chaque passage était très court.

– Chantez *La Marseillaise*, ordonnait l'examinateur.

Et, dès la première strophe :

– Merci, cela ira... Suivante !

Ne restait que dix minutes pour la gymnastique.

– Allons ! Pressons ! cria l'examinatrice en rassemblant les candidates dans la cour.

Une collègue la rejoignit et elles placèrent les élèves en rangs par quatre à intervalles de deux pas.

– Attention ! On se tient sur la jambe droite, la gauche tendue droit devant soi !

Tout le monde s'exécuta, sauf Colette, qui se

trompa de jambe et cafouilla. Anna se tenait droite comme un piquet, bras écartés pour maintenir son équilibre et sa jambe gauche levée aussi haut que possible, plus haut qu'aucune autre, à ce qu'elle constata du coin de l'œil. Les deux professeurs passèrent à travers les rangées, notant sur une feuille de papier les candidates dont certaines commençaient à vaciller et même à tomber. Parvenues à la hauteur d'Anna, elles s'arrêtèrent.

– Très bien, dit l'une.

– Excellent, dit l'autre. Vous ne pensez pas que...

– Oh, si ! dit la première en inscrivant une note sur sa feuille.

– Voilà, c'est fini ! dirent-elles au bout de la rangée. Vous pouvez rentrer chez vous.

Colette sauta au cou d'Anna.

– Tu as réussi ! Tu as réussi ! Avec la gym, tu rattrapes largement ta couture !...

– Tu crois ? fit Anna, qui en était convaincue dans son for intérieur.

Elle rentra à la maison par les rues où courait un air chaud. Elle faisait des bonds de cabri. Elle avait hâte de tout raconter à Mutti.

– Tu veux dire que parce que tu te tiens correctement sur une jambe tu n'as pas besoin de savoir coudre ? Quel examen bizarre ! s'étonna Mutti.

– En fait, dit Anna, c'est les matières comme le français et l'arithmétique qui doivent être les plus importantes, et j'ai l'impression de ne m'être pas trop mal débrouillée...

Mutti avait préparé une citronnade dans la salle à manger et elle s'assit pour en boire avec Anna, qui restait intarissable.

– Nous aurons les résultats dans quelques jours – assez vite, car c'est déjà la fin du trimestre... Ce serait fantastique, si j'étais reçue !... Tu te rends compte ? Après moins de deux ans en France !

Mutti confirmait que ce serait fantastique quand retentit le timbre de la sonnette.

C'était Max, pâle et ému.

– Maman, commença-t-il avant d'être entré, il faut absolument que vous veniez à la distribution des prix samedi prochain... Si vous avez quelque chose de prévu, il faut l'annuler ! C'est important.

Le visage de Mutti s'épanouit.

– Tu as donc reçu le premier prix de latin ?

Max secoua la tête.

– Non, dit-il – et le reste de sa phrase lui resta dans la gorge. J'ai reçu...

Il parvint enfin à sortir :

– J'ai reçu le *prix d'excellence* ! Autrement dit, je suis le meilleur élève de ma classe !

Ce fut une explosion de joie. On alla même déranger Vati dans ses travaux pour lui annoncer la nouvelle. Anna se félicitait comme tout le monde, bien sûr, à ceci près qu'elle aurait préféré que ce triomphe fût révélé un autre jour. Elle avait travaillé si dur et depuis si longtemps pour réussir son certificat d'études ! Et maintenant, même si elle le réussissait, qui s'en trouverait impressionné ? Et encore moins si son succès tenait à son talent pour rester debout sur une jambe !

*

Les résultats arrivèrent : Anna était reçue, ainsi que Colette et la majeure partie de la classe. Madame Socrate remit à chaque lauréate une enveloppe contenant un certificat à son nom. Dans la sienne, Anna trouva en outre deux billets de dix francs et une lettre de félicitations signée par le recteur de l'académie de Paris.

Les rides de madame Socrate s'accentuèrent en un sourire.

– Le rectorat a décidé de récompenser les vingt meilleures rédactions de cette session du certificat d'études, expliqua-t-elle. On dirait que tu figures parmi les heureux élus.

Vati, quand Anna lui raconta cela, manifesta autant de fierté que pour le prix d'excellence de Max.

– C'est ton premier salaire professionnel d'écrivain, dit-il. Le grand mérite, c'est de l'avoir gagné dans une langue qui n'est pas la tienne.

22

Les grandes vacances arrivèrent, et Anna prit conscience subitement que personne n'avait parlé de partir. Il faisait chaud. Les trottoirs vous brûlaient à travers vos semelles et le soleil avait envahi les rues. Il pénétrait jusqu'à l'intérieur des immeubles, dont les appartements ne trouvaient plus de fraîcheur, même la nuit. Les Fernand étaient partis pour le bord de mer dès la sortie des classes et quand le mois d'août eut pris la relève de juillet, Paris se vida. La papeterie du coin fut la première à afficher : « Fermeture annuelle, Réouverture en septembre ». Après quoi, d'autres boutiques suivirent. Même le marchand de la machine à coudre de Vati avait baissé son rideau de fer et était parti.

Difficile de trouver quoi faire durant ces longues journées de canicule ! La maison était une fournaise et même à leur square habituel, pourtant ombragé, Anna et Max, abrutis de chaleur, se fatiguaient vite. S'étant vaguement lancé un ballon ou ayant fait faire quelques tours à leurs toupies, ils s'effondraient sur un banc en rêvant à des plongeons ou à des boissons fraîches.

– Ah ! si on était au bord du lac de Zurich, et si nous pouvions piquer une tête dedans... soupirait Anna.

Mais Max, décollant sa chemise de son dos :

– Peu de chances pour que ça arrive... Nous avons tout juste assez d'argent pour payer le loyer.

– Je sais, fit Anna.

Puis, afin d'introduire une note d'optimisme :

– À moins que quelqu'un n'achète le scénario de papa.

Le scénario de Vati lui avait été inspiré par sa conversation avec Max et Anna à propos de Napoléon. Il ne portait pas sur Napoléon lui-même, mais sur sa mère, Maria Letizia Ramolino, et sur la façon dont elle avait élevé ses enfants, sans argent ; comment la vie familiale avait été bouleversée par la gloire de l'Empereur, et comment la vieille femme avait survécu, aveugle, à la défaite finale. C'était le premier scénario de film qu'écrivait Vati et c'était sur cela qu'il travaillait quand Anna s'était dit que les choses « s'arrangeaient ». *Le Parisien quotidien* connaissant des difficultés de plus en plus grandes, Anna espérait que le cinéma allait faire la fortune de Vati, mais jusqu'ici ça n'en prenait pas le chemin.

Deux sociétés françaises de production, auxquelles Vati avait envoyé son œuvre, la lui avaient retournée avec une promptitude consternante. Finalement il l'avait adressée à un metteur en scène hongrois en Angleterre, mais le pari semblait encore plus hasardeux : il n'était nullement certain que ce Hongrois sût lire l'allemand. En outre, pensait Anna, on ne voyait vraiment pas pourquoi les Anglais, qui avaient été les plus grands ennemis de Napoléon, auraient eu plus envie de faire un film sur lui que les Français. Mais au moins le scénario n'était pas encore revenu – il restait donc de l'espoir.

– Moi, je n'ai pas l'impression que quelqu'un va l'acheter, dit Max. Et je me demande comment papa et maman vont pouvoir trouver de l'argent.

– Allez ! Quelque chose va bien se passer... dit Anna.

Mais elle n'en menait pas large : que ferait-on si rien ne se passait ?

Mutti était plus irritable que jamais. Un rien l'énervait, comme la fois où Anna avait cassé sa barrette.

– Tu ne peux donc pas faire un peu attention ! s'était-elle écriée.

– Mais, maman, une barrette ne coûte que trente centimes...

– Trente centimes sont trente centimes !

Mutti s'était acharnée à essayer de recoller les

morceaux avant de consentir à acheter une autre barrette.

Une fois, elle avait demandé, n'en pouvant plus :

– Est-ce que ça vous dirait, les enfants, d'aller faire un petit séjour chez Omama ?

– Pas du tout ! avait répondu Max – et ils s'étaient tous mis à rire, mais après coup cela n'avait plus semblé si drôle.

La nuit, dans le noir et suffoquant de chaleur, Anna paniquait en pensant à ce qui arriverait si la situation financière de Vati ne s'améliorait pas. Max et elle seraient-ils envoyés ailleurs ?

*

À la mi-août, une lettre arriva d'Angleterre. Elle était signée de la secrétaire du metteur en scène hongrois. Elle disait que le metteur en scène hongrois remerciait Vati pour son scénario et qu'il avait hâte de lire autre chose d'un auteur si distingué, mais qu'il se devait d'aviser Vati du peu d'intérêt cinématographique que présentait en ce moment le personnage de Napoléon.

Mutti, qui s'était mise à vibrer à la vue du timbre d'Angleterre, éprouva une cuisante déception.

– Il l'a eu presque un mois entre les mains, mais il ne l'a même pas lu ! dit-elle. Ah ! si seulement nous étions en Angleterre, nous pourrions faire quelque chose !

– Je ne vois pas quoi, dit Vati.

Ces derniers temps, ce « si seulement nous étions en Angleterre » était devenu le refrain de Mutti, non plus seulement par nostalgie de la gouvernante anglaise de son enfance, mais parce qu'on entendait beaucoup parler d'autres réfugiés allemands installés en Angleterre et qui y avaient trouvé un travail intéressant. Elle vomissait les journaux français qui négligeaient d'employer la plume de Vati, autant qu'elle honnissait les sociétés de production cinématographique françaises qui rejetaient son scénario, et surtout elle déplorait la gêne financière de la famille qui faisait de l'achat d'un tube de dentifrice un sacrifice d'une terrible intensité dramatique.

Environ quinze jours après la lettre d'Angleterre, le drame en effet culmina. D'abord il y eut des ennuis de literie. C'était le matin après le petit déjeuner et Mutti faisait son lit pour le changer en canapé, quand le système se coinça. La partie du siège convertible en matelas, qui était censée se rabattre, refusa d'obéir. Mutti appela Max en renfort et tous deux pesèrent de tout leur poids, mais en vain. Mutti et Max s'épongeaient le visage. Il faisait déjà très chaud.

– Oh ! pourquoi faut-il qu'il y ait toujours des

embêtements ! dit maman – et elle ajouta : La concierge pourra peut-être réparer ça. Anna, cours lui demander de monter.

La mission n'était pas trop plaisante. Par souci d'économie, Mutti avait récemment mis fin à l'arrangement selon lequel la concierge aidait au ménage tous les jours, d'où une humeur exécrable manifestée par cette femme.

Par bonheur, Anna se trouva nez à nez avec elle juste sur le palier.

– Je montais le courrier, dit la concierge (c'était un prospectus), et puis je venais aussi pour le loyer...

– Bonjour, madame, dit Vati, toujours aussi poli, en l'accueillant dans l'entrée, tandis que Mutti lançait :

– S'il vous plaît, madame, pourriez-vous venir jeter un coup d'œil sur ce lit ?

La concierge suivit Anna dans la pièce. Elle donna un semblant de poussée au lit récalcitrant et dit :

– Sûrement que les enfants ont joué avec !

Puis elle répéta :

– Je venais pour le loyer.

– Les enfants n'y ont pas touché, dit Mutti sèchement. Et puis, qu'est-ce que vous me chantez avec le loyer ? On ne doit vous le payer que demain.

– Non, aujourd'hui, rectifia la concierge.

– Mais nous ne sommes pas le 1er septembre !

Pour toute réponse, la concierge montra du doigt la date d'un journal qu'elle portait dans le paquet de courrier.

– Ah ! bon, fit Mutti (et elle appela Vati :) C'est le loyer !

– Je ne pensais pas qu'il fallait le payer aujourd'hui, dit Vati. J'ai bien peur que nous ne puissions vous le donner que demain, ajouta-t-il – et cette déclaration fit passer sur le visage de la concierge une expression particulièrement déplaisante.

Mutti regarda Vati d'un air contrarié.

– Je ne comprends pas, lui dit-elle en allemand. Tu n'es pas allé au *Parisien quotidien* hier ?

– Si, mais ils m'ont demandé d'attendre ce matin.

Dernièrement *Le Parisien quotidien* avait connu de telles difficultés qu'il n'avait pu régler Vati pour tous ses articles, et lui en devait encore trois.

– Je ne sais pas ce que vous êtes en train de vous raconter, intervint la concierge, mais ce qui est sûr, c'est qu'il faut verser le loyer aujourd'hui, et pas demain !

Le ton surprit Mutti et Vati.

– Vous aurez votre loyer, dit Mutti à qui la moutarde montait au nez, maintenant veuillez rafistoler ce machin pour que je puisse dormir quelque part ce soir !

– Et puis quoi encore ? répliqua la concierge sans

faire un geste. Voyez-vous ça ! Des gens qui ne paient même pas le loyer à temps !...

Vati se mit en colère.

– Je vous prie de parler à ma femme sur un autre ton !

– Oh ! vous, vous vous donnez de grands airs, dit la concierge nullement impressionnée, mais il n'y a vraiment pas de quoi !

– Veuillez réparer ce lit ! cria Mutti hors d'elle. Sinon, sortez !

– Ha ! fit la concierge. Hitler savait ce qu'il faisait quand il vous a mis à la porte, vous et vos pareils !

– Dehors ! fit Vati – et il poussa la concierge sur le palier.

Anna l'entendit grommeler en partant : « Si j'étais le gouvernement, je ne les aurais jamais laissés entrer chez nous... »

Mutti était restée immobile, les yeux fixés sur le canapé-lit. Son visage exprimait quelque chose qu'on n'y avait jamais lu et quand Vati rentra, elle dit :

– Nous ne pouvons pas continuer comme ça.

Et elle donna un grand coup de pied dans le lit.

Cela fut d'un effet immédiat.

Le dispositif se décoinça, le siège rembourré s'avança docilement dans son armature et se referma avec un clac sonore. Tous éclatèrent de rire, sauf Mutti.

– Nous sommes jeudi, dit-elle d'une voix bizarrement paisible. Il y a une séance de cinéma en matinée pour les enfants. (Elle fouilla dans son porte-monnaie et tendit de l'argent à Max.) Allez-y donc, tous les deux.

– Tu es sûre ? fit Max.

Les matinées enfantines coûtaient un franc l'entrée et Mutti avait suffisamment répété que c'était trop cher !

– Mais oui, mais oui... dit-elle. Courez-y, ou vous raterez le début...

Il y avait quelque chose d'insolite dans cette offre, mais l'occasion était trop belle ! Anna et Max coururent au cinéma et virent trois dessins animés, des actualités et un film sur la pêche en haute mer. À leur retour, tout paraissait normal. Le déjeuner était servi et leurs parents étaient à la fenêtre, tout près l'un de l'autre, en train de parler.

– Les enfants, vous serez contents d'apprendre que ce monstre de concierge a reçu son loyer, dit Vati. J'ai perçu ce que me devait *Le Parisien quotidien*.

– Néanmoins il faut que nous parlions, dit Mutti.

Elle prit le temps de remplir les assiettes.

– Nous ne pouvons pas continuer comme ça, reprit-elle enfin. Vous le constatez par vous-mêmes. Il est impossible à votre père de gagner un salaire correct dans ce pays. Lui et moi pensons donc que la seule solution, c'est de partir pour l'Angleterre afin de voir s'il y a moyen de recommencer une nouvelle vie là-bas.

– Et quand partirions-nous ? demanda Anna.

– Au début, seulement votre père et moi partirions, dit Mutti. Max et toi iriez vous installer un petit moment chez Omama, jusqu'à ce que les choses s'organisent...

Max baissa la tête tout en acquiesçant. Il s'était attendu à cette solution.

– Mais si les choses mettent longtemps à s'organiser, objecta Anna, nous allons rester sans vous voir...

– Cela devrait s'arranger assez vite, dit Mutti.

– Mais, Omama, commença Anna, d'accord, elle est gentille, mais...

Impossible de dire qu'Omama n'aimait pas Vati. Anna demanda donc :

– Qu'est-ce que tu en penses, toi, papa ?

Le visage de Vati avait repris cet air fatigué qu'Anna détestait, mais l'opinion paternelle était ferme :

– Là-bas, vous serez en de bonnes mains. Vous irez à l'école. Vos études ne seront pas interrompues, et d'ailleurs (il sourit) vous vous débrouillez si bien tous les deux...

– C'est la seule solution, dit Mutti.

Une vague d'amertume déferla en Anna.

– Alors, tout est arrangé, et vous vous fichez de ce que nous en pensons ?

– Bien sûr que non, dit Mutti, mais au train où vont les choses, nous n'avons pas le choix.

– Dis-nous ce que tu penses, dit Vati.

Anna fixait la toile cirée rouge sous son nez.

– Simplement je croyais que nous resterions ensemble, dit-elle. Ça m'était égal où et comment. Les difficultés, je m'en fiche. Le manque d'argent, la concierge, je m'en fiche, aussi longtemps que nous restons ensemble...

– Mais, Anna, dit Mutti, des tas d'enfants quittent leurs parents pour quelque temps. Beaucoup d'enfants anglais vivent dans des pensions...

– Je sais, dit Anna. Mais c'est différent quand on n'a pas de maison. Quand on n'a pas de maison, on doit rester ensemble.

Elle regarda les visages défaits de ses parents et éclata en sanglots.

– Je sais... je sais que nous n'avons pas le choix... et que je rends la chose encore plus difficile... Mais ça ne m'avait jamais ennuyée jusqu'ici d'être réfugiée ! En fait, j'ai même adoré ça !... Pour moi, les deux dernières années que nous avons vécues comme réfugiés ont été bien meilleures que si on était restés en Allemagne. Mais si vous nous envoyez ailleurs maintenant, j'ai peur... j'ai tellement peur...

– De quoi ? demanda Vati.

– ... de me sentir vraiment une réfugiée ! cria Anna.

Ses sanglots redoublèrent.

23

Après coup, Anna eut honte de son éclat. Elle savait depuis longtemps que pour ses parents la solution s'imposait d'envoyer Max et elle ailleurs. L'unique résultat qu'avait eu sa sortie était de rendre pire pour tout le monde ce contre quoi on ne pouvait rien. Elle aurait mieux fait de se taire. Le remords l'empêchait de dormir et quand elle se réveilla le lendemain matin, très tôt, elle sentit qu'il lui fallait se faire pardonner. Il lui restait un peu de l'argent de son certificat d'études. Elle n'avait qu'à sortir et aller acheter des croissants pour le petit déjeuner familial.

Une brise fraîche soufflait pour la première fois depuis des semaines et, au retour de la boulangerie, elle se sentit soudain bien mieux. Tout s'arrangerait d'une façon ou d'une autre. Tout finirait bien.

La concierge était occupée à donner des indications à un homme qui demandait Vati avec un fort accent allemand.

– Je vais vous montrer le chemin, dit Anna en

passant outre les explications de la concierge – laquelle, sans mot dire, lui tendit une lettre.

Anna jeta un coup d'œil sur la lettre.

Son pouls s'accéléra quand elle reconnut un timbre anglais. Et durant toute la montée en ascenseur avec l'inconnu, elle ne put penser à autre chose qu'à ce qu'il pouvait bien y avoir dans l'enveloppe. Elle ne se souvint de la présence du visiteur que lorsqu'il lui adressa la parole.

– Tu es Anna, non ?

Elle acquiesça. C'était un homme d'aspect peu soigné, à la voix triste.

– Papa ? appela Anna en entrant. Je suis allée acheter des croissants pour le petit déjeuner, et tu as une lettre, et puis il y a quelqu'un qui vient te voir !...

– Quelqu'un pour moi ? À cette heure ? dit Vati qui sortit de sa chambre en nouant sa cravate.

Il précéda le visiteur vers la salle à manger et Anna les suivit, la lettre à la main.

– Donnez-vous la peine, monsieur...

– Rosenfeld, dit l'homme avec une courte inclination. J'étais acteur à Berlin, mais vous ne me connaissez pas. Seulement de petits rôles, voyez-vous...

Il sourit en montrant des dents dans un état déplorable, et ajouta avec une fausse désinvolture :

– J'ai un neveu dans la confiserie.

– Papa, dit Anna en tendant la lettre.

– Plus tard, dit Vati.

Herr Rosenfeld semblait ne plus se rappeler très nettement les raisons de sa venue. Ses yeux de chien battu faisaient le tour de la salle à manger. Visiblement il cherchait par quoi commencer. Enfin il mit sa main à sa poche et en tira un petit paquet emballé dans du papier brun.

– Je dois vous remettre ceci, dit-il.

Vati prit le paquet et l'ouvrit. C'était une montre, une vieille montre en argent que Vati reconnut aussitôt.

– Julius ! s'écria-t-il.

Herr Rosenfeld hocha sombrement la tête et dit :

– Je vous apporte de mauvaises nouvelles.

Oncle Julius était mort.

*

Pendant que Mutti lui servait du café et tout en grignotant machinalement un des croissants d'Anna, Herr Rosenfeld raconta la triste fin d'oncle Julius.

Il avait été renvoyé de son poste de conservateur au Muséum d'histoire naturelle de Berlin un an auparavant.

– Pour quel motif ? demanda Mutti.

– Comme vous savez, il avait une grand-mère juive.

Oncle Julius n'avait pas trouvé à se recaser en qualité de naturaliste, mais en tant que balayeur dans une usine. Il avait dû quitter son appartement pour s'installer dans une chambre de bonne, moyennant quoi il avait fait la connaissance de Herr Rosenfeld, qui occupait la mansarde voisine. Dans l'épreuve, il était resté assez gai.

– Il acceptait les choses avec… philosophie, voyez-vous, dit Herr Rosenfeld. Quand j'ai fait le projet d'émigrer à Paris pour venir rejoindre mon neveu et que je lui ai dit « Venez avec moi, il y a de la place pour nous deux dans le commerce de la confiserie », il a refusé. Il paraissait penser que la situation en Allemagne pouvait s'améliorer d'un jour à l'autre…

Vati acquiesça, se souvenant d'oncle Julius en Suisse.

Herr Rosenfeld et oncle Julius avaient eu de longues conversations au cours desquelles il avait souvent été question de Vati et de la famille. Une ou deux fois, Herr Rosenfeld l'avait accompagné au zoo, où il passait tous ses dimanches, et, malgré son manque d'argent, oncle Julius s'arrangeait toujours pour apporter des cacahuètes aux singes et des restes aux autres bêtes. Toute la ménagerie se précipitait aux barreaux dès son apparition, au grand étonnement de Herr Rosenfeld.

– Ce n'était pas seulement pour la nourriture... C'était plutôt pour une espèce de tendresse, qu'ils reconnaissaient en lui...

Vati acquiesça de nouveau.

Durant l'automne, oncle Julius avait passé toutes ses soirées au zoo en sortant de son travail. Les animaux étaient devenus le centre unique de ses préoccupations. Un des singes se laissait caresser à travers les barreaux de sa cage.

Puis, juste avant Noël, le couperet était tombé. Oncle Julius avait reçu une lettre officielle lui ôtant son droit d'entrée au zoo. Aucune raison à cela. La grand-mère juive avait suffi...

Alors oncle Julius avait commencé à changer. Ne dormant ni ne mangeant presque plus, il n'adressait plus la parole à Herr Rosenfeld et passait ses dimanches enfermé dans sa chambre à regarder par sa lucarne les moineaux sur le toit d'en face. Enfin, par une nuit de printemps, il avait frappé à la porte de Herr Rosenfeld. C'était pour le prier de bien vouloir emporter quelque chose pour Vati, quand il s'en irait à Paris. Herr Rosenfeld avait objecté qu'il ne partirait pas avant quelque temps. « Aucune importance, avait dit oncle Julius, je vais vous le remettre dès maintenant. » Herr Rosenfeld avait accepté de prendre le petit paquet pour ne pas contrarier son voisin. Et le lendemain matin, oncle Julius avait été trouvé mort, un flacon de somnifère vide sur sa table de chevet.

Herr Rosenfeld n'avait pu quitter l'Allemagne que quelques mois plus tard. À Paris, sa première démarche avait été de venir apporter le paquet.

– Il y a un mot avec, dit-il.

L'écriture était plus soignée que jamais. Il n'y avait que deux lignes disant : « Adieu. Je vous souhaite du bonheur. » Et c'était signé : « Julius. »

*

Un bon moment après le départ de Herr Rosenfeld, Anna se souvint tout à coup de la lettre d'Angleterre qu'elle tenait toujours à la main.

Vati l'ouvrit, la lut et, sans rien dire, la passa à Mutti.

– Ils achètent ton scénario ! s'exclama-t-elle. Mille livres sterling !

La somme surtout lui paraissait incroyable.

Max demanda aussitôt :

– Est-ce que ça veut dire que nous n'aurons pas à aller habiter chez Omama ?

– Bien entendu ! dit Mutti. Pas la peine qu'on se sépare ! Nous irons en Angleterre tous ensemble...

– Oh ! papa ! fit Anna. C'est merveilleux !

– Eh oui, dit Vati. Merveilleux. Je me réjouis qu'on n'ait pas à se quitter.

– Quand je pense qu'ils vont filmer ton scénario !

Mutti, rayonnante, mit une main sur l'épaule de Vati et sentit sous ses doigts le drap usé à l'endroit du col.

– Il te faudra une autre veste, dit-elle.

– Allons prévenir la concierge que nous partons, dit Max.

– Attends ! dit Mutti. Si nous partons pour Londres, il faudra surtout avertir vos écoles. Il nous faut aussi nous renseigner sur les hôtels, là-bas. Et puis il y fera plus froid... Vous aurez besoin de vêtements de laine...

C'était soudain comme un feu d'artifice de détails à régler.

Seul Vati se taisait. Laissant Mutti et les enfants débattre fiévreusement de tout cela, lui, grâce à qui tout arrivait, restait assis sans bouger, muet dans ce tourbillon de paroles. Il tenait dans sa main la montre d'oncle Julius, et son index en suivait les contours, tout doucement.

24

C'était une étrange impression, d'avoir encore une fois à changer de pays.

– Juste quand nous commencions à parler français, disait Max.

Anna ne pourrait pas dire au revoir à madame Socrate, qui n'était pas rentrée de vacances, et elle lui déposa un mot à l'école. En revanche, il y eut une visite d'adieu avec Mutti chez grand-tante Sarah. Celle-ci leur souhaita bonne chance en Angleterre et se réjouit d'entendre parler du film de Vati.

– Enfin ! Quelqu'un se décide à payer cet homme d'élite à sa juste valeur ! dit-elle. Ce n'est pas trop tôt !

Les Fernand revinrent du bord de mer juste à temps pour que les deux familles passent une dernière soirée ensemble. Vati invita tout le monde au restaurant pour fêter son succès, et l'on se promit de se revoir bientôt.

– Nous reviendrons souvent en France, dit Vati, qui arborait une veste neuve et dont le visage avait lui aussi perdu son expression usée.

– Il faut aussi que vous veniez nous voir à Londres, dit Mutti.

– En tout cas, nous irons voir le film, dit madame Fernand.

Faire les valises ne prit guère de temps. Chaque déménagement avait réduit le nombre des bagages – tant de vieilleries allaient à la poubelle. Et un matin gris, moins de quinze jours après la réception de la fameuse lettre d'Angleterre, on fut sur le départ.

Anna et sa mère se tenaient dans la petite salle à manger pour la dernière fois en attendant le taxi qui devait les emmener à la gare. Débarrassée des objets familiers, la pièce semblait vide et laide.

– Je me demande comment nous avons pu tenir ici deux ans, dit Mutti.

Anna passa la main sur la toile cirée rouge.

– Je l'aimais bien, dit-elle.

Le taxi arriva. Vati et Max empilèrent les valises dans l'ascenseur, après quoi Vati claqua dans leur dos la porte de l'appartement.

Quand le train sortit de la gare Saint-Lazare, Anna se pencha par la fenêtre et regarda Paris qui glissait lentement derrière eux.

– Nous reviendrons, dit Vati.

– Je sais, dit Anna.

Elle se souvint de ce qu'elle avait ressenti lors du retour à l'auberge Zwirn et ajouta :

– Mais ce ne sera plus la même chose. Nous n'en ferons plus partie... Est-ce que tu crois qu'un jour nous ferons enfin partie d'un endroit ?

– Je ne pense pas, dit Vati. Pas de la façon dont les gens appartiennent aux lieux où ils ont toujours vécu. Mais nous appartiendrons à notre manière à pas mal d'endroits, et après tout c'est aussi bien...

*

C'était la période des grandes marées d'équinoxe et quand le train entra en gare maritime de Dieppe, vers midi, la mer roulait des flots noirs et sauvages sous un ciel gris. Ils avaient choisi la traversée Dieppe-Newhaven, plus longue mais moins chère.

– Nous ne savons pas combien de temps il nous faudra vivre sur cet argent, disait Mutti évoquant leur richesse récente.

Quand le bateau sortit du port et prit le large, il commença à tanguer et l'excitation d'Anna, son impatience d'effectuer son premier voyage en mer, retomba rapidement. Max, Mutti et elle, qui s'observaient mutuellement, virent leurs visages passer du pâle au verdâtre, et chacun dut aller s'étendre. Seul Vati résistait au mal de mer. Il fallut six heures pour traverser ce bras de Manche au lieu des quatre normales par temps calme, et bien avant la fin Anna en était arrivée à une indifférence complète quant à ce que pourrait bien être la vie en Angleterre. Quand ils accostèrent enfin au port de Newhaven, il faisait trop sombre pour voir quoi que ce fût. Le train avait pris son départ sans attendre. Un porteur obligeant voulut bien les diriger sur un autre train pour Londres, plus lent.

Comme il se mettait en branle, la vitre du compartiment se couvrit de crachin.

– Le climat anglais ! claironna Vati, que le fait d'avoir triomphé du mal de mer avait rendu gai comme un pinson.

Anna se recroquevilla dans son coin près de la fenêtre et regarda défiler le paysage inconnu et sombre. Impossible de voir à quoi il ressemblait. Au bout d'un moment elle se lassa et reporta ses observations sur les deux messieurs assis en face d'elle. Dans le filet à bagages au-dessus d'eux trônaient deux chapeaux melons noirs d'un genre qu'elle avait rarement vu, et les deux messieurs se tenaient assis bien droits et lisaient leur journal. Quoique montés ensemble, ils n'échangeaient pas une parole. Les Anglais semblaient être un peuple fort calme.

Le train ralentit et stoppa dans une gare minuscule. C'était au moins le dixième arrêt.

– Où sommes-nous ? demanda Mutti.

Anna lut un nom sur une pancarte éclairée.

– « Bovril », énonça-t-elle à haute voix.

– Impossible, dit Max, la station précédente s'appelait aussi Bovril[1].

Mutti, dont le visage n'avait pas repris ses couleurs, jeta un coup d'œil à la pancarte.

– C'est une réclame, dit-elle. Le Bovril doit être quelque chose qui se mange. Il me semble que c'est ce que les Anglais mettent dans leurs compotes de fruits.

Le train reprit sa marche poussive à travers la nuit et Anna se laissa aller. Une impression de déjà-vécu l'envahit : ce mélange d'envie de dormir, de grincements de train, avec la pluie battant contre le carreau... Elle avait connu cela, longtemps auparavant. Elle s'endormit sans réussir à trouver quand.

Quand elle se réveilla, le train allait plus vite et des lumières apparurent, zébrant la vitre d'éclairs brefs. À la campagne avaient succédé des chaussées luisantes plantées de réverbères et bordées de petits pavillons, tous sur le même modèle.

– Nous arrivons à Londres, dit Mutti.

Les chaussées s'élargirent, les pavillons devinrent des immeubles et soudain le fracas des roues changea de registre : on roulait sur un pont enjambant un large fleuve.

– La Tamise, annonça Vati.

---

1. Le Bovril est un condiment anglais qui accompagne généralement la viande et les légumes.

Les deux rives brillaient de mille feux, telles des rampes de théâtre, et Anna pouvait voir des voitures et un bus rouge qui semblaient se traîner en contrebas.

Sur l'autre rive, ils continuèrent à rouler, mais tout à coup un couvercle de lumière s'abattit sur le train, qui se trouva dans une gare, parmi des quais noirs d'une foule de porteurs et de voyageurs. On était arrivé.

Anna descendit du train. Ils restèrent sur le quai à attendre, dans le froid, le cousin de Mutti, Otto, qui devait les accueillir. Tout autour, les gens se souhaitaient la bienvenue et se parlaient avec animation.

– Comprends-tu ce qu'ils disent ? demanda Anna.

– Pas un mot, répondit Max.

– Il nous suffira de quelques mois pour y arriver…

Vati avait réussi à attirer l'attention d'un porteur, mais nulle part on ne voyait de cousin Otto. Il partit à sa recherche avec Mutti, laissant les bagages à la garde des enfants.

Anna, frigorifiée, s'assit sur sa valise. Le porteur lui sourit.

– *Français ?* demanda-t-il.

Anna secoua la tête.

– *Allemands ?*

Elle acquiesça.

– *Ach, Deutsch !* fit le porteur. (C'était un petit homme à gros ventre et au visage rougeaud.) *Ittla ?* ajouta-t-il.

Anna et Max se consultèrent du regard. Que voulait dire le porteur ?

– *Ittla ! Ittla !* insistait-il. (Il plaça un doigt sous son nez pour figurer une moustache et leva l'autre main en un salut nazi.) *Ittla ?*

– Oh ! Hitler ! fit Max.

Anna s'inquiéta :

– Ont-ils des nazis ici ?

– J'espère bien que non, dit Max.

Ils secouèrent ensemble la tête avec fermeté et adressèrent au porteur une moue de dégoût.

– *No*, dirent-ils en chœur. *No Hitler !*

Le porteur sembla soulagé.

– *Ittla*... commença-t-il. (Il regarda autour de lui pour vérifier que personne ne le voyait, puis cracha énergiquement sur le quai.) *Ittla*, dit-il.

Telle était son opinion, et comme elle avait l'air de plaire, il enchaîna sur une deuxième imitation de Hitler en se rabattant une mèche sur le front. Mais Mutti apparut venant de droite, ainsi que Vati et le cousin Otto venant de gauche.

– Bienvenue en Angleterre ! cria le cousin Otto en embrassant Mutti.

Et comme il la sentait frissonnante, il ajouta d'un ton faussement fâché :

– Dans ce pays, il faut toujours porter des sous-vêtements de laine !

Anna se souvenait de lui à Berlin comme d'un monsieur plutôt élégant. Elle retrouvait un homme d'aspect relativement misérable, dans un manteau râpé. Ils le suivirent vers la sortie de la gare en une procession lente à travers la foule qui s'agitait dans cette espèce de vapeur montant du sol et imprégnée de l'odeur de caoutchouc des imperméables, visiblement très en vogue chez les Anglais. Au bout du quai, il y avait un bouchon, mais personne ne se bousculait comme c'eût été le cas en France ou en Allemagne. Chacun attendait son tour de passer. Ils aperçurent dans le brouillard l'étalage bigarré d'un magasin vendant des oranges, des pommes, des bananes et autres fruits. Une autre vitrine était remplie de bonbons et de chocolats. Les Anglais devaient être des gens très riches, pour pouvoir s'offrir tout cela. Ils croisèrent un policier à haut casque, puis un autre dont la pèlerine ruisselait.

Dehors, la pluie tombait tel un rideau scintillant derrière lequel Anna vit une place sombre : à nouveau ce sentiment de déjà-vécu. Elle était déjà sortie d'une gare semblable, par un temps froid et pluvieux...

– Attendez-moi ici, je vais chercher un taxi, dit le cousin Otto – et cela aussi était une phrase familière.

D'un seul coup le manque de sommeil, les fatigues de la traversée et le froid se mélangèrent pour creuser comme un gouffre dans la tête d'Anna. La pluie devint la seule réalité, sous laquelle passé et présent se diluèrent en une bouillie confuse, et durant un temps Anna ne sut plus où elle était.

– Ça va ? lui demanda Vati en la rattrapant par le coude, car il la voyait tituber.

Le cousin Otto déclara :

– Ça doit être dur, de passer son enfance à déménager de pays en pays...

À ces mots, quelque chose se remit en place dans la tête d'Anna.

– Une enfance à la dure... songea-t-elle.

Le passé et le présent reprirent leurs cours distincts. Elle se souvint du long et pénible voyage dans le train d'Allemagne avec Mutti, et combien il pleuvait alors, et comment elle avait lu le livre de Gunther, et combien elle avait souhaité passer une enfance « à la dure », censée la faire devenir célèbre. Son vœu s'était-il réalisé ? Sa vie, depuis qu'ils avaient quitté l'Allemagne, pouvait-elle être considérée comme une enfance « à la dure » ?

Elle revit l'appartement de Paris et l'auberge Zwirn. Non, c'était idiot. Il y avait eu des moments difficiles, soit. Mais cela avait été constamment intéressant, souvent drôle. Et d'autre part elle, Max, Mutti et Vati n'avaient été séparés qu'en de rares occasions. Tant qu'ils resteraient ensemble, ce ne serait jamais une enfance « à la dure ». Elle soupira, sentant ses espoirs s'envoler.

– Quel dommage ! pensa-t-elle. Je ne serai jamais célèbre...

*

À la recherche d'un peu de chaleur, elle glissa une main dans la poche de son père et se serra contre lui. Le cousin Otto revenait avec le taxi.

– Vite ! cria-t-il. Il n'attendra pas.

Ils s'élancèrent, Vati et le cousin Otto empoignèrent les valises. Le chauffeur les chargea dans le taxi. Mutti, en courant, glissa dans une flaque et faillit tomber, mais le cousin Otto la rattrapa.

– Les Anglais portent des semelles en caoutchouc, énonça-t-il doctement en poussant la dernière valise.

Ils s'entassèrent dans la voiture. Le cousin Otto donna l'adresse de l'hôtel. Anna colla son front contre la vitre. Le taxi démarra.